2022 제23회 현대시작품상 작품집

가장 큰 직업으로서의 시인

김중일 외

2022년 제23회 현대시작품상 본심 추천작 1

최문자

1982년 현대문학 등단

수선화 감정 외 4편

황인

1984년 경향신문 신춘문예 당

나도 모르는 사람 외 4

이현승

2002년 문예중앙 등단

지상에서 영원으로 외 4편

김중일

2002년 동아일보 신춘문예 당선

가장 큰 직업으로서의 시인 외 4편

2022년 제23회 현대시작품상 본심 추천작 2

기혁

2010년 시인세계 등단

눈사람 신파극 외 4편

유계

2010년 현대문학 등

정수 찾기 외 4

임승유

2011년 문학과사회 등단

그의 태도와 눈빛 외 4편

안태운

2014년 문예중앙 등단

생물 종 다양성
낭독용 시 외 4편

1 [현대시작품상 추천 우수작]

기혁

유계영

임승유

안태운

2 [현대시작품상 수상자 특집 _ 김중일]

수상소감

자전 에세이

대담

시인론

작품론

1

2022 제23회 현대시작품상 추천 우수작

최문자 황인숙 이현승 김중일
기　혁 유계영 임승유 안태운

● 추천 우수작

최문자

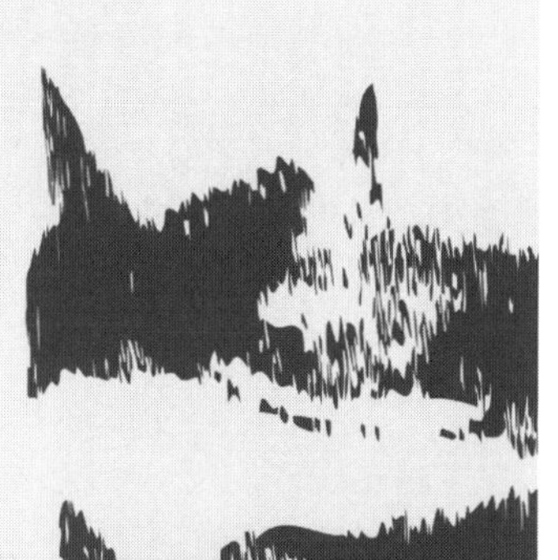

_수선화 감정
_시계의 아침
_호모 노마드
_호모 노마드
_재

수선화 감정 외 4편

\- 꽃꿈이였다

수선화 한 송이가 거실로 들어왔다 '슬프네 슬프네' 하면서 나를 따라 다녔다 슬프다고 나에게

도착하는 것과 슬프다고 나를 버리는 것 사이에 나는 서 있었다

아침, 꽃들에게 물을 주면서 트로트 가수처럼 흰꽃에게 물었다

새삼스럽게 네가 왜 내 꿈에서 나와

꽃꿈을 꾸는 동안 코로나 확진 받고 한 청년이 다섯시간 만에 죽었다는 뉴스가 시청 앞을

통과하고 반포대교를 건너 남해 저구항에서 첫배를 타고 소매물도까지 건너가는 동안 이윤설

김희준 시인이 죽고 최정례 시인까지 죽음을 포개는 동안

나는 우두커니 서 있는데

베란다에서 수선화 한 송이가 신나게 피고 있는 거야

죽음은 꽃과 별과 죽은 자들의 변방에서 얼어붙은 채 감쪽같이 살아 있었던 거야

–

한 번도 붉어 보지 못한 이 흰 꽃이라도 사랑해야지 사랑해야지 하면서 나처럼 물을 주고 나서

죽은 자들 모두는 흡흡거리며 각자 죽음의 언덕을 다시 기어오르고 있었던 거야

공터에서

한 사람의 마음 이쪽과 저쪽을 돌아다니다가

죽음이

익명으로 숨죽이고 있는 나를 찾아내는 거야

등짝에 툭툭 별을 떨어뜨리는 거야

산책을 하다가도

나는 정말 죽었는가? 하고

사람들은 죽음을 꽃처럼 바라보았다

오래오래

이토록 허약하고 목이 메는 부분을 사람이라고라 부르며 나는 사람을 좇아다녔던 거야

아무도 부르지 말고 피자 꽃피자

—　　아침에도 수선화는 그냥 그렇게 피었던 거야
격렬한 신념 같은 거 없이

이런 흰 꽃이 죽어라고 피면 죽음도 그칠 줄 알았나?

뉴스와 창백한 오후와 거친 밤이
마스크를 쓰고 날마다 나에게 팔을 내미는 거야 손을 내미는 거야

꽃꿈은
설렘이 아니고 새파란 공포인 거야

시계의 아침

–　　가끔 '정의'라는 말
두꺼운 텍스트 속에서 읽는다

내게 시간이 잘 도착하는 시계가 있다
내 것 아닌 감정으로 시계는 가고 있다 나는 그 때 일을 시계에게 말하려고 했다
시계의 얼굴이 하얗다 질려 있다

내가 나쁜 손을 잡으면 시계가 죽었다
나를 발견하듯이 깜짝 놀라며 시계를 발견한다

시계를 들여다본다
12시였다

지난 토요일도 시계는 한 번 죽었었다
죽음 후, 숫자 1에서 12개의 뼈가 휘어져 있다
숫자 2는 1을 떠안고 까마득한 자전의 길을 떠난다 네가 나였으면 좋겠어, 네가 그냥 너였으면
좋겠어 두 가지 감정의 바늘이 갈길 가면서 정하지 못하고 있다

–　숫자 1과 숫자 2 사이 좁은 허공에서 조금 늦거나 조금 빠른 시간이 웃고 또 웃는다 한때 나는

자주 웃던 무례한 시계를 강변에 버렸다

시계를 고치러 간다

이번 여름에도 슬쩍슬쩍 나를 지나가던 시계의 죽음

죽음이란 말은 어느 지붕 밑에서 우연히 자다가 깨어난 참새처럼 어감이 부스스하다

건물 담벼락에 '정의'라고 쓰고 밑줄까지 긋던 흰민들레 한 송이 같던 제자가 갑자기 떠오른다

가끔 그들의 '정의' 는 장미꽃 장면으로 팬스를 넘고 새콤달콤한 체리 주스를 찍어 편지를 써 보낸다

선생님, 들립니까 들립니까? 잠깐 시계 안에 있다가 바로 시계 밖으로 나간 이 실종을 친구야,

어찌하니? 그 많은 민들레가 앉을 의자들이 텅텅 비어 있다

거짓말에게서 흰 가루약의 정체가 밝혀진다 해도

꽃 같은 시간 몇 개가 흐린 연필 끝으로 꽃을 그려준다

–

나는 그냥 아무 생각 없이 사랑에나 빠질까 봐
6이 9가 되는 무분별한 경우처럼

그가 정의롭다는 말
그가 정오를 사랑한다는 말
너를 만지다 나를 만지고 끝으로 마른 흰 수건 끝을 만진다

이 아침 나는
시계를 찾으러 간다

호모 노마드
— 도형들

내가 연인이었을 때

나처럼 잘 우는 도형 하나 그리고

시간을 다 썼다

그 커다란 비누 같은 시간을

라벤더 향이 아직 남아 있는데

무릎을 다 썼다

무릎은 오래 사랑스런 자세를 찾아다녔다

자주자주 도형을 바꾸며

나는 이처럼 아름다운 잉크 빛 같은 유채색 도형이었나?

열린 도형을 그리고 마구마구 나를 흘려보냈다

–　잉크가 나와 섞이는 사이

나는 흐린 잉크를 찍어 시를 쓰는 연인이 되었다

시를 쓰는 동안

잉크 빛 새벽별이 보였다

시간이 마틸다처럼 짐을 쌌다

별빛이 저만치 가면서 꼭짓점마다 촛불을 하나씩 켜주며 갔다

내가 더 연인이었을 때

어떤 도형 앞에 오래 서 있다

이런 이런

숨어 있기 좋은

\- 무덤같이 어두운

내가 그린 마지막 도형이었네

호모 노마드

— 아, 시간

1

시간은 강물이 넘치는 쪽으로 흐르고 있었어
시간은 '아. 시간' 하고 외치는 어떤 발견이어야 했어

시간은 시간이 길다고 나에게 거짓말을 하고
나는 짧은 시간을 음악처럼 사랑했다

자주 폭력적이지만 시간이 온유하기를 기도했다

거기 커다란 발바닥이 있었어
성큼성큼의 길이가 있었어 말귀를 못 알아듣는 시곗바늘이 있었어

나는 가끔 시계의 창문을 부수고 싶었다

2

시간은 생각의 집
누구의 집이 되는 중이었다
이 집이 집이 아닌 걸 자주 잊는다

—

이 집은 생각이 파랗고
나는 하얗고
누가 부르면 손을 떨었다
들고 있던 나의 생각이 파삭파삭 부서졌다

이 집은
나 같이 그렇지 않은 집
의자와 개가 수북한데 이 집은 왜 움푹 패였을까

생각하는 사람은 의자에 앉는 게 제일 좋지 모든 의자에 벌써 개들이 앉아버렸네 프메라니안
불도그 몰티즈 도베르만 밤낮없이 개들이 시처럼 내 생각을 차지해버렸네

너무 크거나 작은 소리로 내 생각을 긁고 울부짖다 개들이 잠들어야 나는 깨어났다

어제 본 생각을 오늘 또 보았다
색과 질감이 달랐다

–

생각을 구경할 때마다 나는 몇 번씩 태어난다

이 집 사람들은 아무도 생각을 구경하지 않는다

한 생각이 있었지만
그러면 세 사람이 떠난다고 했다

날마다 해가 서쪽에서 붉게 떨어지고
마지막 언덕을 내려갔다

생각이 저 혼자 이렇게 죽을 수도 있어

생각하지 않는 것이
이 시간이
이리도 달다니
이리도 슬프다니
하면서

재

–

어제들은 희미해지고 재가 날린다
재는 죽어본 경험이 있다

그중 한 번은 사람이었다는 듯이
보도 위를 날아다닌다

오렌지 몇 개를 더 먹을 때까지
아직은 길고 푸른 주머니에 재 말고 꽃을 꽂고 걸을 테다

한겨울이었다
양말에 슈트에 노트에 재가 앉을까 봐 창문을 닫고 마스크를 썼다
거울을 본다
재가 되기 전 생명체는 끔찍해
사람이 재가 된다는 모멸감은 더 끔찍해

나는 겨울을 제일 사랑했다
겨울은 무겁고 아무것도 상하지 않았다

쓸고 닦고 하루에 몇 번씩 바닥을 치워도
어머니는 깊은 겨울 안방에 가득했다

누가 어머니의 재를 마지막으로 치우고 나왔는지 기억이 안 나지만
어머니는 여전히 생존 중이다

어디 갔다 왔는지 모르게 다시 겨울이 오고
나는 여전히 죽기 전 규칙들을 지키느라 바쁘다

사람들은 아무렇게나 땅을 차지했지만
나는
누군가 떨어뜨린 동전 한 닢조차 줍지 않았다

최문자 | 시인. 1982년 『현대문학』으로 등단.

크로노스에서 카이로스로, 이분합일의 메시아적 시간 의식

오형엽

최문자 시인의 일관된 시적 지향성은 사랑의 경험을 그 본질에 대한 인식으로 진전시키며 존재론적 성찰에까지 도달하는 탐구의 여정이다. 이 시적 지향성의 첫 자리에 놓인 '사랑'은 여러 측면에서 최문자 시의 미학적 특이성을 파생시키는 원초적 동인動人이다. 우선 최문자 시에서 사랑의 대상은 이성異性이라는 개인적 층위에서 출발하여 가족적·공동체적 층위를 거쳐 신神이라는 종교적 층위로까지 시적 원주를 넓히며 상승한다. 다음으로 최문자 시에서 사랑의 양태는 대상과의 충만한 합일이 아니라 상실하거나 훼손된 관계에 대한 회상이나 회한悔恨으로 점철되어 있다. 이 두 가지 특이성은 최문자 시에서 사랑의 상실과 좌절에서 촉발되는 상처와 고통이 사랑의 본질에 대한 인식을 통해 존재론적 성찰에까지 나아가는 탐구의 원동력으로 작용함을 암시한다.

최문자 시에서 '사랑-상실-회상-성찰'로 이어지는 시 의식의 내적 진행 과정은 시의 구조화 원리로도 작용한다. 가장 먼저 이 구조화 원리는 시적 시간의 층위에서 한 작품에 '과거의 원인', '현재의 결과', '미래적 예감'이라는 세 가지 시간성이 상호 중첩하거나 충돌하는 특이한 시간 구조를 생성시킨다. 최문자는 세 가지 시간성의 중첩이나 충돌을 시점의 변화를 통해 다양하게 변주함으로써 개별 시의 개성을 확보하는 동시에 전체적 의미 구조의 통일성을 유지하는 독창적인 방법론을 확보한다. 다음으로 이 구조화 원리는 시적 사건의 층위에서 사랑하는 대상의 상실 혹은 사랑의 불가능성이라는 기본 항수를 발생시켜 '멜랑콜리'라는 감응을 미적 특이성의 토대를 마련한다. 상실한 사랑 대상과의 나르시시즘적 동일시가 과거에 대한 끝없는 회상이나 회한을 낳는 원인으로 작용한다. 더 나아가 시적 주체의 사랑은 대상의 상실을 노래함으로써 오히려 그것을 소유하려는 '멜랑콜리'의 역설적 양상에까지 도달한다. 다시 말해, 최문자의 시는 사랑하는 대상의 상실과 부재를 상처와 불행의 언어로 노래함으로써 사랑과 그 대상을 소유하면서 영원의 차원으로 승격시키는 것이다.

최문자의 최근 시는 '죽음'의 사건이나 아우라가 강한 강도와 높은 밀도를 가지고 등장하면서 공허와 허무의 심연을 형성하게 된다. '죽음'은 '사랑-상실-회상-성찰'로 이어지는 기존 시 의식의 내적 진행 과정에 개입하여 중요한 지각 변동을 일으키고 공허와 허무의 심연 속에 복잡다기한 흐름을 열어나간다. 이 흐름 속에서 특히 시간에 대한 인식은 최문자 시의 핵심적인 모티프로 등장한다.

> 시간은 강물이 넘치는 쪽으로 흐르고 있었어
> 시간은 '아. 시간' 하고 외치는 어떤 발견이어야 했어
>
> 시간은 시간이 길다고 나에게 거짓말을 하고
> 나는 짧은 시간을 음악처럼 사랑했다

자주 폭력적이지만 시간이 온유하기를 기도했다

거기 커다란 발바닥이 있었어

성큼성큼의 길이가 있었어 말귀를 못 알아듣는 시곗바늘이 있었어

나는 가끔 시계의 창문을 부수고 싶었다

—「호모 노마드 — 아, 시간」 부분

이 시에서 시적 주체의 시간 의식은 시간의 흐름에 대한 순응과 저항 사이에서 진동하는 모습을 보여준다. 1연에서 "시간은 강물이 넘치는 쪽으로 흐르고 있었어"라는 문장은 화자가 회상을 통해 시간의 순행적 흐름을 인지하는 모습을 제시하고, "시간은 '아. 시간' 하고 외치는 어떤 발견이어야 했어"라는 문장은 화자가 특정한 시간을 정지시키는 인식에 대해 각성하는 모습을 제시한다. 필자는 전자를 크로노스chronos로 간주하고 후자를 카이로스kairos로 간주할 수 있다고 생각한다. 크로노스가 시작에서 종말에 이르는 세속적인 시간으로서 연대기적 시간이라면, 카이로스는 기회의 시간으로서 한순간에 모든 것이 응축되는 시간이기 때문이다.

2연에서 시간이 주어인 첫 문장 "시간은 시간이 길다고 나에게 거짓말을 하고"와 화자가 주어인 두 번째 문장 "나는 짧은 시간을 음악처럼 사랑했다"를 일반적으로 대립 관계로 이해하기 쉽다. 이러한 이해는 크로노스와 카이로스를 질적으로 상이한 것으로 이해하는 통상적인 인식과도 상통한다. 그러나 화자가 "음악처럼 사랑"한 "짧은 시간"은 "나에게 거짓말을 하"는 시간으로부터 추출해서 생성시킨 것이다. 다시 말해 시적 화자는 "시간이 길다고 나에게 거짓말을 하"는 크로노스에 번번이 속지만, 그 속에서 속임을 당하는 가운데 정신의 집중을 통해 "음악처럼 사랑"한 "짧은 시간"을 생성시키는 것이

다. 최문자 시의 화자는 크로노스 즉 연대기적 시간 속에서 생겨나서 작동하는 동시에 그것을 내부에서 변용시키는 시간으로서 카이로스를 추구하는 것이다.

3연의 "자주 폭력적이지만 시간이 온유하기를 기도했다"라는 문장에서 화자는 시간의 폭력성을 경험하고 그것에 대응하는 방식으로 "기도"를 실천한다. "기도"의 행위는 최문자 시 세계에서 특별한 위상을 차지한다. 가장 큰 범주에서 최문자의 시적 지향성인 사랑의 존재론적 탐구가 '사랑-상실-회상-성찰'로 이어지는 시 의식의 내적 진행 과정이 도달하는 하나의 귀결점이 "기도"라고 볼 수 있다. 그리고 인용 시의 중심 주제인 시간 의식의 범주에서는 크로노스와 카이로스라는 두 이질적인 시간의 결합으로 이루어지는 '메시아적 시간 의식'과 긴밀히 연결되는 것이 "기도"라고 볼 수 있다. 이러한 해석은 조르주 아감벤이 사도 바울이 『로마서』에서 말한 '지금-이때' 혹은 '파루시아(임재)'라는 용어 속에 메시아적 사건의 이분합일적 구조가 내포되어 있다고 말한 바와 연관된다. 아감벤에 의하면, 바울이 말하는 메시아적 시간은 세속적이고 연대기적인 크로노스 속에 존재하면서 거기서 나와서 그것을 변용시키는 수축된 시간이다. 그러나 바울이 '지금-이때'라고 표현하는, 이 수축된 시간은 메시아의 완전한 임재에 이르기까지 지속된다. 이 임재는 심판의 날 및 시간의 종말과 일치하므로, 여기서 시간은 폭발하거나 또 하나의 시간 속으로 그리고 영원 속으로 내파된다.

4연을 이해하기 위해서는 우선 "거기"라는 지시대명사가 가리키는 대상이 무엇인지 해석할 필요가 있다. 문맥을 살펴볼 때 "거기"가 지시하는 것을 "기도"보다는 "시간"으로 간주하는 것이 더 적절하다. 화자는 "시간"의 흐름에서 "커다란 발바닥", "성큼성큼의 길이", "말귀를 못 알아듣는 시곗바늘"을 발견한다. 일단 "커다란 발바닥"은 시간의 흐름을 발이 큰 짐승으로 비유하고 "성큼성큼의 길이"는 그 빠른 움직임을 의미하며 "말귀를 못 알아듣는 시곗바늘"은 화자의 의도나 의지와 무관하게 진행되는 시간의 속성을 의미한다고 해석할 수 있다. 그런데 필자는 "발바닥"이라는 시어에서 이러한 일반적이고 상식적인 해석으로는 해소되지 않는 묘한 풍크툼을 느낀다. 또 한 가지 주목할 만한 풍크툼은 마지막 연에 등장하는 "시계의 창문"이다. '창문'은 일반적으로 안과 밖의 경계를 형성하면서 관찰과 통과를 허용하기도 하고 차단하기도 하는 이미지로 형상화된다. 최문자의 최근 시에는 도처에 '창문' 이미지가 등장하는데, "시계의 창문"은 시간의 안과 밖을 상정하고 관찰, 통과, 차단 등을 통해 위상 변화를 가능케 하므로 중요한 시적 장치로 작용한다고 볼 수 있다. 인용한 시에서 "시계의 창문을 부수고 싶었다"라는 문장은 화자가 크로노스의 내부에서 벗어나 '바깥의 시간'으로서 카이로스를 염원하는 소망을 표현한 것으로 해석할 수 있을 것이다.

필자는 이 시에서 발견한 두 개의 풍크툼, 즉 "발" 이미지와 "시계의 창문" 이미지가 긴밀히 결부된다고 생각한다. 시적 주체가 크로노스의 내부에서 벗어나 '바깥의 시간'을 지향하려면 내면적 정신 차원인 '못'에서부터 신체적 기관 차원인 '무릎'을 거쳐 '발'이라는 최말단까지 내려와서 몸소 겪는 고난(passion)에 대한 열정(passion)이 필요한 것이 아닐까. 우리는 시력詩歷 40년에 달하는 최문자 시인의 시가 "시계의 창문"을 넘어 '바깥의 시간'을 향해 '발'로 몸소 겪는 고난을 감수하면서 어디로 나아가는지 예의주시해야 할 것이다.詩

오형엽 | 문학평론가. 본지 주간. 고려대 국문과 교수. 1994년 『현대시』 신인추천작품상 평론부문, 1996년 『서울신문』 신춘문예 로 등단. 비평집으로 『신체와 문체』 『주름과 기억』 『환상과 실재』 『알레고리와 숭고』 등이 있다. 젊은평론가상, 애지문학상, 편운문학상, 김달진문학상, 팔봉비평문학상 등을 수상.

● 추천 우수작

황인숙

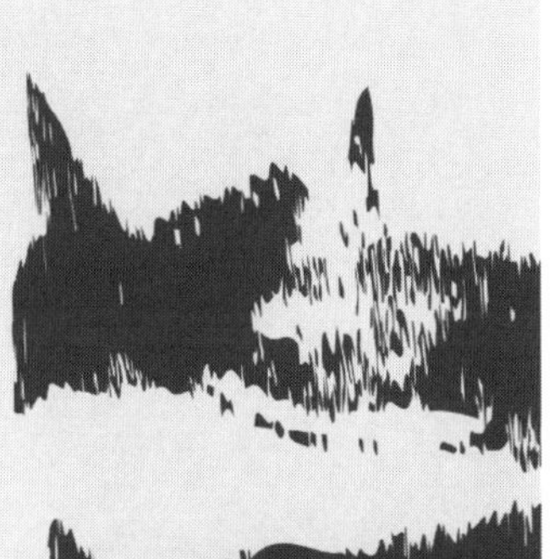

_나도 모르는 사람
_누수 타임
_장터의 사랑
_동자동, 2020 겨울
_행복한 노인

나도 모르는 사람 외 4편

–

자려고 한 건 아닌데
자서는 안 됐는데
방바닥에 잠깐 누웠다가
손 닿는 데 있는 책을 잡아당겨
두어 페이지 읽다가
하필 읽은 책이네
이 부분은 생경하군
두어 페이지 더 읽다가
깜박 잠이 들었다
옹색하게 외로 누워

문득 이마께쯤
뼈로 된 얇은 막 한 장 건너편에서
지척인 듯 아득히 먼 곳인 듯
코라도 되게 골았을까,
그 끝에 딸려 나왔을 신음 소리
도중에 짤린 듯한

너무 고된 소리
너무 늙은 소리

–

한없이 낯선 소리

아, 얼마나 고적한지
마치 내가
나도 모르는 사람 같다

누수 타임

–

똑똑 소리도 졸졸 소리도
들리지 않았지
그래도 삶은
이어졌으니까
이제 두 시간만 지나면

한 시간 오십팔 분만 지나면
한 시간 오십칠 분만 지나면
지나겠지, 지난 것처럼

주먹을 쥐었다가
폈다가
손바닥을 쫙 벌렸다
손가락 사이로 빠져나가는 게
아무것도 없네
없는 것 같네
다시 주먹 쥐고
가위 펴서
보아하니 가위라는 게
권총 모양이로군

–

탕! 탕! 탕!

텅! 텅! 텅!

턱, 턱, 턱,

어딘가 안 보이는 곳 이미

흠씬 물 먹었을 거야

언제부터? 어디 어디?

싱크대 아래 벽도 좀 질척거리는 것 같고

퍼석거리는 것도 같고

사방 간데 누수

시시각각 누수

울어도 삶은

이어지겠지

장터의 사랑

\- 난 불안도 불면도 없어요
세상엔
미끄러지고 나동그라지고
뒤집힌 풍뎅이처럼 자빠져
바둥거리는 맛도 있다우

누군 죽어 지내는 맛도 있다지만
나는 그런 맛 몰라

무식한 건 무서운 거야
벽을 문처럼
까부수고 나가는 거야

난 그렇게
이겨왔다우

동자동, 2020 겨울

–

고요한 밤이었다
후암시장 초입이었다
오랫동안 임대되지 않은 빈 가게 앞
진열대의 스테인리스 상판에
사료 봉지니 햇반 그릇이니 물통을 늘어놓고
내가 늦은 건가 이른 건가
아직 오지 않은 고양이 생각을 하면서
고양이 밥을 꾸려 담고 있었다
이름 모를 이여
어쩌면 이름이 필요 없을 이여
나는 당신 얼굴을 제대로 보지도 않았으니
얼굴도 없는 이여
인기척에 돌아보니 당신이 비죽이 웃으면서
"좋은 거 담아 선물하세요"라고 했던가
"선물이에요. 좋은 데 쓰세요"라고 했던가
내게 은행 현금봉투 몇 장을 내밀었다
나는 "고맙습니다"라고 한 뒤 더 할 말이 없는 채
얼른 시선을 돌리고 은행 현금봉투를 만지작거렸고
그 짧은 사이 당신은 할 말이 남은 듯 머뭇대다가
시장 안쪽으로 걸음을 옮겼다

–

시장을 지나면 쪽방촌이 나올 것이었다

당신은 흐린 구름 같은 잠바를 입고 있었다
당신이 차마 꺼내지 못한 수척한 말을
나는 알아챘어야 했다
당신이 그것밖에 줄 게 없어서
'WON하는대로
우리WON뱅크'
은행 현금봉투 몇 장을 줬을 때
나는 답례를 했어야 했다

우리은행 현금봉투 여섯 장
구김 없이 말끔했으니
당신은 그 얼마 전에 우리은행 동자동 지점
ATM 창구에 들렀을 테다
추위를 피해 더위를 피해 간간
사람들을 피해 한밤에나 들렀을 거기

친구도 없고 가족도 없고
없는 게 많을 당신

통장도 신용카드도 없을 당신
환하게 불 밝혀진
텅 빈 ATM 창구에서
현금봉투를 챙기는 당신을 떠올려본다
뭘 원해야 할지도 모를 것 같은
당신의 슬픈 경제

은행을 나와서 후암시장까지
고깃집횟집장어구이집국수가게만두가게차칸치킨치킨센터
다닥다닥 늘어선 나지막한 건물들
9시가 한참 전에 지났으니
불 꺼져 어두컴컴했을 테다
어떤 식당에서는 당신에게
착한 한 끼를 건네기도 했을지 모르는데

그 밤에 당신이 너무 배가 고팠으면
나는 어쩌면 좋은가
우리은행, 이제 내게 예사롭지 않네
외롭고 낮고 쓸쓸한
당신, 우리

행복한 노인

어두컴컴하고 좁은 주방이 딸린 단칸방 집이다
노인은 자부심에 찬 목소리로 말했다
“우리 집사님이 음식을 아주 맛있게 해.
어찌 이렇게 맛있게 하냐고 물었더니
집사님이 잘 사는 집에서
오래도록 일을 했다는 거야.”

“집사님이랑 보살님이 친해.
서로 참 위해 주지.”
보살님은 일주일에 닷새, 하루 세 시간
노인 집에 오는 요양보호사다
70세가 넘었다

집사님도 보살님도 키가 작고
빼짝 말랐다
노인 역시 키가 작고,
한쪽 다리를 절지만
뺨이 발그레하고 통통하다

황인숙 | 시인. 1984년 『경향신문』 신춘문예 당선.

”

즐거운 삶 쓰기

안지영

루카치의 그 유명한 구절을 꺼낼 것도 없이 세계를 바꾸겠다는 정념이 가득한 청년들의 시는 무거운 이지와 우수의 갑옷을 차려입고 세계와 맞설 태세를 하곤 한다. 그런 시들을 읽노라면 세상의 온갖 슬픔을 짊어지고 있는 시인의 어두운 눈동자와 떨리는 손가락 같은 것들이 함께 떠오른다. 이러한 시들에는 일종의 의무감, 그러니까 그것이 어떠한 형태이건 망가진 이 세계를 바꾸어야 한다는 소명 의식이 깃들어 있다(형식적 새로움을 추구하는 시들 역시 이러한 소명 의식에서 자유롭지 않다). 넓은 의미에서 진정성 혹은 내면의식이라고도 할 수 있는 욕망의 지배를 받는 이러한 시들은 가진 것보다는 가지지 못한 것이 많은 청춘의 소유물일 수밖에 없다. 그런데 바로 이러한 의미에서 황인숙은 진정성 따위와는 한참 거리가 멀다. 시인의 시를 수식해온 발랄함이나 명랑함이라는 해석에 동의하면서도, 그녀의 시가 세계에 대해 취하는 태도는 청춘보다는 오히려 성숙한 노년과 어울리지 않나 생각된다. 굳이 청춘과의 연관성을 찾는다면, 마음만은 청춘이라고 해야 할지?

이번 기회에 그간 드문드문 읽어왔던 황인숙의 시집들을 그야말로 정주행하다가 다섯 번째 시집 『자명한 산책』의 뒤표지에서 이런 문장을 발견한다. ""난 즐거움으로 달려요. 난 일로 달리기 싫어요."라고 말하는 달음박질꾼처럼 즐거움으로 시를 쓰고 싶다." 즐겁게 시를 쓰고 싶다? 아, 이게 시인이 꾸준하게 시를 쓰는 비결이었나 보다, 하고 대단치 않은 발견을 한참 뒤늦게 하였다. 이 발견이 유별났던 것은 (자랑은 아니지만) 나 역시 시인이 말하는 즐거움의 의미를 조금은 알아챌 수 있게 되었기 때문일 테다. 나이가 들어 점점 바깥으로 밀려나는 기분이 들고, 세상만사가 내가 원하는 대로만 흘러가지 않는다는 상식을 체득하는 그런 시기(혹은 순간)를 지나면서 나 스스로 지킬 수 있는 최소한의 원칙 정도는 정해보자 마음을 먹게 된다. 그러니까 내 마음대로 되지는 않더라도 적어도 즐겁게는 하자고, 즐거운 일 하나 정도는 남겨놓아야 하지 않겠나 하고 배수진의 진을 치는 심정에서 위의 문장이 쓰인 것은 아닐까.

즐겁게 시를 쓰고자 마음을 먹었다면, 이 세계는 그대로 두고 세계와 살 맞대고 살아가는 나 자신을 어떻게 변용시킬지가 문제가 된다(고 생각한다). 세계는 세계일 뿐이고 내가 이 세계를 대하는 방식이라도 즐거움의 방향으로 조정해보려고 한다. 하지만 이 '즐겁게' 역시 내 마음대로 되지는 않는다. 배수의 진이라는 표현이 너무 비장하나 싶기도 하지만, 즐거움으로 시를 쓰고 싶다는 일종의 다짐을 해야 할 정도로 시 바깥을 둘러싼 세계가 점점 팍팍해지고 있기 때문이다. 한데 황인숙은 외국의 어떤 시인처럼 슬퍼하지도 노여워하지도 말라고 하지 않는다. 참고 견디다 보면 기쁜 날이 아니라 죽을 날이 올 것이라고 말할 것만 같다. 물론 시인이 여기에서 조언을 그치지는 않을 것이다. 삶이 그대를 속이면 슬퍼하고 노여워하라고, 다만 그 슬픔의 날이 바로 기쁨의 날이기도 하지 않냐고 도닥여줄 듯하다.

그러니까 내가 말하고 싶은 요점은 황인숙이 말하는 '즐거움'의 배면에 짙은 페이소스가 깔려 있다는 것이다. 최근의 「행복한 노인」과 같은 시에서의

'행복' 역시 시인이 지향하는 복합적이고 복잡한 즐거움의 맥락을 상기시킨다. 이 시에서 행복은 결핍을 끌어안고 있는 만족감이라는 모순적인 구조를 지닌다. "어두컴컴하고 좁은 주방이 딸린 단칸방 집"에서 자신을 돌봐주는, 자신과 마찬가지로 나이든 여성들의 도움을 받으면서 살아가는 노인의 목소리에 살짝 묻어나는 행복의 예감을 시인은 놓치지 않는다. '잘 사는 집'에서 일을 해야 하는 넉넉지 않은 형편이었던 '집사님'이나 70세가 넘어서도 요양보호사로 근무하고 있는 '보살님'은 시적 주체의 증언 안에서 '행복한 노인'의 계열 안으로 포섭된다. 자기 처지를 비관하고 세계를 원망하기보다 가진 것 안에서 생을 낙관한다. 가난하고 늙어서 타인의 도움을 필요로 하는 여성이라면 당연히 자기 삶을 불행히 여길 것이라는 빤한 통념은 "뺨이 발그레하고 통통하다"라는 마지막 구절로 자연스럽게 기각된다. 단문을 중심으로 몇 가지 상황 정도가 간단하게만 제시되어 있지만, 이 시에는 구조적으로 빈틈이 없다. 인물을 묘사하는 단편적 이미지들이 대조되거나 통합되는 등의 묘한 조화를 이루며 진한 여운을 남긴다.

시인의 내공이 느껴지는 시는 이 시만이 아니다. 「장터의 사랑」에는 "뒤집힌 풍뎅이처럼 자빠져/ 바둥거리는 맛도 있다우"와 같은 구절을 통해 삶에 대한 지극한 긍정이 강렬하게 소묘되고, 「누수 타임」에는 나이가 든다는 것과 집의 누수라는 상황이 묘하게 중첩되며 희비극적인 상황이 연출된다. 「동자동, 2020 겨울」에서는 조금 긴 분량으로 간단하지 않은 이야기가 펼쳐진다. 이 시에는 "고요한 밤" 고양이 사료를 주려고 대기를 하고 있던 시장 초입의 자신에게 빈 현금 봉투를 쥐여주고 간 이의 막막한 마음이 등장한다. '당신'이 아니라 '당신의 그 마음'이 시의 주인공이 된다. 당신의 마음은 내 마음으로 전염되어 "뭘 원해야 할지도 모를 것 같은" 마음으로 현금 봉투를 챙기는 '당신'의 행적을 무의식중에 상상케 한다. 당신이 입은 잠바처럼 흐리기만 한 그 마음을 그려본다. 당신의 배고픈 사정을 뒤늦게 헤아리고 '답례'를 하지 못한 데 대해 후회하고야 마는 시인의 간곡한 마음이 우리의 마음까지 "외롭고 낮고 쓸쓸"하게 한다.

나이가 든다는 것은 불가역적으로 "나도 모르는 사람 같"은 나가 되어가는 일이다(「나도 모르는 사람」). 낯설고 슬프고 아픈 것이다. 더구나 약자가 죄인이 되는 한국과 같은 사회에서 나이가 든다는 것, 그것도 가진 것 없는 여성으로 나이를 먹어간다는 것은 무시와 굴욕과 공포와 마주하는 일일 가능성이 아주 높다. 이런 사회에서 황인숙의 시는 노년과 여성성을 멀리서 관조하거나 타자화하기보다 깊고 세밀하게 관계를 맺음으로써 상상하게 만드는 미덕을 보여준다. 어디선가 시인은 자신이 유미주의자였다고 과거형으로 쓴 적이 있다. 자신만이 아니라 남들도 자신을 유미주의자라고 여겼던 시절이 있었는데, 이제는 "일상시(?) 생활시(?)" 그런 시들을 주로 쓰고 있다고 말이다. 자신의 삶이 아름답고 치열했다면 시도 그랬을 터인데 한심하고 무기력하고 나태한 나날만 지리멸렬하게 이어진 것 같다고도 자책하였다. 하지만 삶에 대해 '즐거움으로' 쓰고자 한 시인의 시에서 아름다움을 발견한 독자라면 여전히 시인을 유미주의자라 하지 않을까. 아름답게 존재한다는 것이 어떤 것인지를 시인에게 배운다. 여전히 그녀의 시는 낯설고도 막막하게 아름답다.詩

안지영 | 문학평론가. 본지 편집위원. 서울대 국문과 박사 과정 졸업. 저서로 『천사의 허무주의』와 『틀어막혔던 입에서』, 역서로 『부흥 문화론 : 일본적 창조의 계보』(공역)이 있다.

● 추천 우수작

이현승

_지상에서 영원으로
_도리언 그레이의 초상
_배음背音
_청소하는 사람의 세 질문
_전주

지상에서 영원으로 외 4편

옥수역 지하철 스크린도어 앞에서 생각한다. 영원은 창밖 하늘 끝 멀리 있지 않고 번지점프대의 낭떠러지처럼 발끝 바로 앞에 있다. 뛰어내리면 바로 도착한다. 그래서 스크린도어가 설치됐지. 영원이란 무엇인가? 로드킬 당한 고라니가 달려오는 트럭의 헤드라이트에서 본 것? 에스컬레이터에서 내리자마자 문득 멈춰 뒷사람들을 도미노처럼 넘어뜨린 아주머니가 주머니에서 찾던 교통카드 같은 것? 그것이 무엇이든 영원에는 어떤 정지의 이미지가 있다. 급격하게 정지하는 열차 바퀴의 마찰음이 있다. 떨어지는 단풍잎이 팔랑 몸을 뒤집을 때 나던 빛의 신음 같은 것이, 몸이 없어서 시도 때도 없이 재생되는 망자의 음성 같은 것이, 삶이 끊긴 계단처럼 눈앞에 버티고 있을 때 나갈 수도 멈출 수도 없이 밀리고 있을 때 불쑥 들이닥치는 무엇이 있다. 운동력을 급격히 잃을 때의 관성과 쏠림이 있다. 수술 후 마취 깰 때 이 악물고 참아보려 했지만 참을 수 없었던 한 시간 같았던 십 분처럼, 혹은 십 분처럼 흘려보낸 하루. 영원에는 표정이 없다.

도리언 그레이의 초상

단체사진 속 움직이다 찍힌 심령사진 같은 얼굴 양치하다 말고 연습해 보는 수줍고 대담한 표정의 얼굴 새로 산 물건을 엉뚱하게도 코로 가져가 킁킁거릴 때의 얼굴 한 손으로 택배 상자를 들고 흔들어 볼 때 상자 속으로 거의 들어가 버린 표정의 얼굴 가령 제 전두엽을 노려보는 듯한 눈동자와 최대한 작게 오므린 입술 그것도 아니면 맹렬하게 손톱 끝을 갈거나 물어뜯는 얼굴 무의식적인 표정의 얼굴 남들은 다 아는 얼굴인데 나에게만 낯설고 생소한 얼굴 내가 모르는 내 얼굴 웃음기를 걷어낸 표정이 아니라 완전한 무표정인 얼굴 필라멘트가 나가버린 전구 같은 얼굴 잔인, 비열, 살기, 탐욕, 분노가 얼비치는 것 같은 얼굴 갑작스레 답을 궁리할 때의 순수하게 골몰한 자의 저 얼굴

배음背音

–

베란다의 화분들이 말라비틀어져 있다
죽어야 한다면 누구겠어 나지 하는 표정이다
하나 같이.
그러니까 아직 죽지는 않은 상태
일주일도 안 되는
그렇게 길지 않은 여행이었는데
덥고 볕이 강한 날씨였으니까

말라비틀어진 화분들에 대해서라면
어떤 것도 가능하다
여행이 아니었다면
아빠의 과로 엄마의 우울
그 반대 또는 둘 다
혹은
베란다의 물주기 당번은 누구였지?
누구겠어 줘야 한다면 그건 나는 아니야 하는 표정들이다

저녁식사 중에 안내 방송이 나왔고
물탱크를 청소하기 위해서 단수될 예정이니
각 가정에서는 필요한 생활용수를 미리 받아놓으라는 내용이었다.

–

각 가정에서는 마주 앉아 식사를 하다가
한결같이 씹는 일을 멈추고 숨을 죽이며
집중된 표정으로

어떤 일도 가능하다.
하루 안 먹는다고 죽지는 않지만
하루 안 씻는다고 어떻게 되지는 않지만
볼 일 보고 물 안 내리고 갈 수는 없다.
있어도 살고 없어도 살지만
어디겠어 물이 없어서는 절대 안 되는 곳이

고요를 틈타 위층 화장실 변기의 물 내리는 소리가 지난다.

청소하는 사람의 세 질문

—

쫓고 쫓기는 것들은 막다른 길에서 만난다.

그리하여 휴일이란 무엇인가
휴일은 답이 비워진 질문이다.
그 진공 속으로 빨려 들어가고 싶지 않다면
청소기를 붙잡는 것이 좋다.
포효하는 호랑이의 등을 타고
구석구석을 누비며 묻는다.

청소란 무엇인가.
쓰러진 것을 세우고
널부러진 것을 개키고 걷어 올리며
만상의 제자리를 의심해 보는 시간,
잠이 덜 깬 채 식탁으로 불리어 온 식객처럼
구석에서 끌려나온 검불들은 뭉쳐진 채 잔뜩 뾰로통하다.
부스스한 머리에 입술이 비죽 나왔다.
난데없는 소란 속에서 다시 묻는다.

구석이란 무엇인가.
머리카락과 몽당연필과 동전과 머리 고무줄과 레고 블럭 같은 것들의,

–

먼지와 검불들의, 불 꺼진 곳을 찾아 헤매는 자들의 안식처
지질한 마음도 잠시 어깨를 펴보는 그곳,
직진하는 빛과 걸레질의 사각지대에서
청소기의 잦아든 숨소리를 배경으로 몽상은 계속된다.

마음이 사각형이라면 네 개의
그러니까 어느 쪽을 향하든 그 끝에는
어두운 구석이 있다.

전주

―

명절 끝 고향 다녀오는 고속도로 위
전주를 지나가는데
하필 전주에 사는 현섭 형에게서 전화가 왔다.

어디? 뭐해?는
고향에 사는 사람이 명절에 할 법한 질문이고
전주 지나요는
명절에 고향 다녀가는 사람이 할 법한 대답이지만

전주를 지나면서 전주에서 걸려온 전화를 받으면
오얏나무 아래에서 갓끈을 다시 매거나
오이밭에서 신발끈을 새로 묶는 사람처럼
뭔가 오해받을 짓을 하고 있는 기분이다.

전주는 어느 면으로 보나 끈끈하다.
피를 나눈 다섯 형제들 중 세 형제가 사는 곳
핏줄 같이 끈끈한 친구들이 있고
혈관 속 콜레스테롤보다 더 끈끈한 친구들도 있지

끈끈한 혈관보다 더 막힌 고속도로 위

전주가 더 이상 백밀러로도 보이지 않을 만큼
이어폰으로 한 십여 분 통화하고 나면
의도한 것은 아니었지만
결과적으로는 도망치고 있는,

그리운 곳
전주

이현승 | 시인. 2002년 『문예중앙』으로 등단.

내가 모르는 내 얼굴이 짓는 표정

김언

이현승 시인의 현대시작품상 후보작을 읽기 전에 참고할 것이 있다. 지난해 출간된 그의 네 번째 시집 『대답이고 부탁인 말』(문학동네)에서 '시인의 말'을 보면 이런 대목이 나온다.

> 그리하여 자신이 누구인지 찾고 있는 사람은
> 삼나무 숲에서 삼나무를 찾고 있는 사람과 같다.
> 삼나무 숲에 들어섰으니 삼나무는 찾은 것이나 진배없다고 안심하겠지만
> 눈앞에 두고 찾지 못하는 맹목이 가장 어둡다.
> 물론 나는 수 년 전 어느 밤 혜화역에서 택시를 잡아탄 취객이

"대학로 갑시다"라고 큰 소리로 말한 것을 기억한다.

우리는 모두 진심으로 그의 행선지가 궁금했지만

"자신이 누구인지 찾고 있는 사람"은 어떤 근원적인 질문을 동반한 사람이다. 그런데 이 질문에 상응하는 근원적인 답변은 멀리 있는 것이 아니라 바로 그 질문을 던지는 곳에 있다는 사실. 당연히 질문 근처에 널려 있는 것들이 온갖 답변이겠지만, 우리는 그것을 보지 못한다. 눈앞에 두고서도 찾지 못하는 맹목이 있어 답변의 자리는 늘 어둡다. 가장 어둡다고 해도 틀리지 않을 그 자리를 눈 밝히고 들여다보는 사람 중에 시인이 빠질 수 없을 터, 이현승 시인도 그중 일인으로 빠지지 않고 거론되는 시인이다.

그의 시는 현실의 자질구레한 구석에서 질문을 던지고 그에 상응하는 답변 역시 자잘한 생활의 현장에서 건져 올리는 태도를 진작부터 견지해왔다. 삼나무 숲에 들어서도 삼나무를 보지 못하는 맹목을 걷어내는 작업으로 생활을 들여다보고 현실을 되짚어보는 사유를 계속해가는 일. 그것이 이현승에겐 또 시의 일일 것이다. 어떤 초월적인 질문도 그의 시에 가서는 생활밀착형 언어로 변환된다. 생활에서 구할 수 있는 질문이자 대답이 될 때까지 그의 시는 사유하고 또 사유하는 방식으로 이 세계를 보고 이 세계를 산다. 아무리 답답하고 갑갑하고 지긋지긋한 현실일지라도 거기서 질문하고 대답하는 자세를 견지하는 삶. 그 삶이 행여 너무 무겁지는 않을까, 혹은 그 삶을 담아내는 언어가 너무 버겁지는 않을까 염려할 필요는 없다. 무거운 사유의 짐을 가볍게 부려놓는 장치가 이현승의 시에는 진작부터 예비되어 있으니 바로 위트다. 혜화역에서 택시를 잡으면서 대학로로 가자고 떠드는 취객에게서도 한 토막의 위트를 얻어내는 솜씨와 미덕이 그의 시에는 진작부터 장착되어왔다.

이번에 읽은 현대시작품상 후보작에도 어떤 근원적인 사유와 생활밀착형 감각과 아이러니한 위트가 빠짐없이 발견되는데, 여기에 한 가지 더 주목해서 읽어볼 지점이 있다. 바로 표정이다.

옥수역 지하철 스크린도어 앞에서 생각한다. 영원은 창밖 하늘 끝 멀리 있지 않고 번지점프대의 낭떠러지처럼 발끝 바로 앞에 있다. 뛰어내리면 바로 도착한다. 그래서 스크린도어가 설치됐지. 영원이란 무엇인가? 로드킬 당한 고라니가 달려오는 트럭의 헤드라이트에서 본 것? 에스컬레이터에서 내리자마자 문득 멈춰 뒷사람들을 도미노처럼 넘어뜨린 아주머니가 주머니에서 찾던 교통카드 같은 것? 그것이 무엇이든 영원에는 어떤 정지의 이미지가 있다. 급격하게 정지하는 열차 바퀴의 마찰음이 있다. 떨어지는 단풍잎이 팔랑 몸을 뒤집을 때 나던 빛의 신음 같은 것이, 몸이 없어서 시도 때도 없이 재생되는 망자의 음성 같은 것이, 삶이 끊긴 계단처럼 눈앞에 버티고 있을 때 나갈 수도 멈출 수도 없이 밀리고 있을 때 불쑥 들이닥치는 무엇이 있다. 운동력을 급격히 잃을 때의 관성과 쏠림이 있다. 수술 후 마취 깰 때 이 악물고 참아보려 했지만 참을 수 없었던 한 시간 같았던 십 분처럼, 혹은 십 분처럼 흘려보낸 하루. 영원에는 표정이 없다.

—「지상에서 영원으로」 전문

그의 시에 익숙한 독자라면, '영원'이 "창밖 하늘 끝 멀리" 어딘가에 있는 것이 아니라 지하철 승강대에 선 "발끝 바로 앞"에 있다는 전언이 새삼스럽지 않다. 지하철이 들어오는 순간 뛰어내리면 곧장 도달할 것 같은 곳에 영원이 있다면 그것은 죽음의 이미지로 물들어 있는 것이겠지만, 영원은 그렇게 극단적인 사례로만 드러나는 것이 아니다. 겨우 교통카드 하나 찾으려고 "에스컬레이터에서 내리자마자 문득 멈춰 뒷사람들을 도미노처럼 넘어뜨린" 어느 아주머니의 볼썽사나운 행동에서도 영원은 묻어날 수 있다. 죽음이든 멈춰 섬이든 영원에는 역설적이게도 아니 당연하게도 정지의 이미지가 묻어 있다. 이때의 정지는 그 전에 운동을 전제로 한 정지라는 점에서 이제까지 끌고 왔던 온갖 삶의 운동력을 거스르는 정지다. 갑작스럽게 솟구치는 정지 앞에서 동반되는 감각은 그래서 고통이다. 갑작스럽게 정지할 때 체감되는 관성과 쏠림으로 인한 고통. 이 고통을 못 이겨 십 분을 한 시간처럼 느끼는 자의 표정은 고통 그 자체이지만, 정작 영원에는 표정이 없다는 사실. 영원은 아무렇지 않게 찾아와서 온갖 운동으로 점철된 삶을 또 아무렇지 않게 정지시킨다. 갑작스러운 정지로 인해 고통스러운 것은 여전히 살아 있는 자의 몫이다. 아직 완전히 정지하지 못한 자의 몫이다.

매 순간을 정지하지 못하고 살아가는 자의 얼굴은 살아 있기 때문에 익혀야 하는 표정이 있다. 직장에서 가져야 하는 표정. 가정에서 지녀야 하는 표정. 친구들을 만났을 때의 표정. 편하고 어려운 자리를 떠나서 인간이라면 마땅히 갖추어야 하는 표정이 얼굴을 만든다. 어엿한 어른으로서의 표정. 적어도 최소한의 인간됨을 갖춘 표정. 이런 표정을 익히느라 우리는 일생을 허비한다. 허비라는 말이 거슬린다면 소비라는 말로 순화하자. 허비든 소비든 우리가 익히기 바쁜 저 표정들이 한 사람의 얼굴을 형성해갈 때, 그 얼굴이 빠뜨리고 있는 얼굴. 혹은 표정. 어쩌면 사회화된 얼굴로는 다 장악이 되지 않는 어떤 표정이 우리에게는 여전히 남아서 얼굴로 튀어나온다. "단체사진 속 움직이다 찍힌 심령사진 같은 얼굴"이 문득 튀어나오는 것이다. "맹렬하게 손톱 끝을 갈거나 물어뜯는 얼굴 무의식적인 표정의 얼굴 남들은 다 아는 얼굴인데 나에게만 낯설고 생소한 얼굴 내가 모르는 내 얼굴 웃음기를 걷어낸 표정이 아니라 완전한 무표정인 얼굴 필라멘트가 나가버린 전구 같은 얼굴"(이상 「도리언 그레이의 초상」). 이런 얼굴들이 평소에는 어디에 숨어 있다가 나오는 것일까?

거기가 어딘지는 모르겠으나 잘 보이지 않는 구석의 이미지를 떠올릴 수는 있다. 청소할 때 문득 발견되는 "머리카락과 몽당연필과 동전과 머리 고무줄과 레고 블럭 같은 것들"이 숨어 있는 구석, "먼지와 검불들의, 불 꺼진 곳을 찾아 헤매는 자들의 안식처" 같은 구석 말이다. 갑자기 "끌려나온 검불들"이 "뭉쳐진 채 잔뜩 뾰로통"(이상 「청소하는 사람의 세 질문」)한 표정을 짓든 당황스러운 표정을 짓든 상관없이 그들이 거하는 곳은 언제나 구석이다. 구석처럼 외지고 어두운 곳이 어울리는 그 표정을 애써 외면하거나 덮어두는 것이 성실 유능한 생활인의 미덕이라면, 마음에서도 한쪽 모서리에 해당하는 어둡디어두운 구석의 그 표정을 누군가는 계속 들여다보며 말을 건넬 것이다. 저 또한 나의 표정이며, 숨길 수 없는 우리의 얼굴이며, 그것을 놓칠 수 없는 운명을 타고난 사람 중에 또 시인이 있다는 사실을, 이현승의 시를 읽으면서 다시 확인한다. "갑작스레 답을 궁리할 때의 순수하게 골몰한 자의 저 얼굴"(「도리언 그레이의 초상」)을 그의 시는 끝내 외면하지 못할 것 같다.詩

김언 | 시인. 본지 편집위원. 1998년 『시와사상』 등단. 시집 『숨쉬는 무덤』 『거인』 『소설을 쓰자』 『모두가 움직인다』 『한 문장』 『너의 알다가도 모를 마음』 『백지에게』, 산문집 『누구나 가슴에 문장이 있다』, 시론집 『시는 이별에 대해서 말하지 않는다』 출간.

● 추천 우수작

김중일

_가장 큰 직업으로서의 시인
_좋은 날을 훔치다
_만약 우리의 시 속에 아침이 오지 않는다면
_햇살
_자꾸 생각나는 괄호

가장 큰 직업으로서의 시인 외 4편

—

지금 만나러 가는 너의 직업은 시인이라고 한다.
시인도 직업일까, 한 번쯤은 물어보고 싶은 마음을 알고 있는 듯 너는 묻지도 않았는데 만날 때마다 종종 대답한다.
시인은 가장 큰 직업이다.
마치 스스로 드는 미심쩍음에게 하는 대답인 것처럼.
나는 그것을 다짐이라고 생각해도 좋을까.

'가장 큰 직업'이란 말이 좀 걸린다.
그 말은 어쩌면 직업 따위가 아니라는 뜻이 아닐까, 하는 생각에 이른 건 최근의 일이다.
'가장 큰 직업'이란 당최…
무엇일까, 식상하게 삶이나 죽음 같은 것만 아니면 나는 상관없다.

열심히 노동하여 집을 지으면 폭풍이 와도 튼튼한 집이 남지만,
열심히 밤새 지은 '시'라는 채널의 관건은
지극히 개인적으로, 얼마나 큰 슬픔을 나누고 허무는가에 달렸다.
아침 해와 함께 흔적 없이 증발하는,
실체가 남지 않은 일을 직업이라고 할 수 있을까.
아무래도 '가장 큰 직업'은 직업은 아니라는 뜻이 분명하다.

무작위로 배정되는 한 편의 채널에 접속을 기다리며 들었던 상념들을 서로 나누며,

빨래 개기를 마친 너는 노동의 대가로 배달 음식을 시킨다.

휴대폰을 집어 들면서 함께 있는 공간을 둘러보며 한마디 덧붙인다.

이런 수십 개의 채널을 모아놓은 한 권의 시집은 말이야,

다림질까지 한 듯 기막히게 반듯이 개어놓은 시인의 속옷 같단 말이야.

세상에 존재하는 표백제로는 아무리 빨아도 결코 다 빠지지 않는 슬픔의 때가 미량이나마 껴 있어서, 결국 죽을 때까지 제대로 입어보지도 못하고 계속 다시 빨아야 하는.

빨다가 갑자기 눈물이 툭 터질 정도로 허무하기가 그 어떤 시적 수사로도 비유할 수 없는.

좋은 날을 훔치다

— '시'라는 식당

우리는 한날한시 한 유령시인의 애도 시 속에서 우연히 만나 사랑하게 된 사이.

주방에서 나는 연신 눈물을 훔치며 콧노래를 부른다.

오늘은 지금까지 슬펐던 것이 그다지 슬프지 않은 날이다, 그래서 더욱 마음껏 슬퍼해도 좋은 날이다.

콧노래를 부르다가 불현듯 얼굴을 약간 찡그린다.

얼굴 안에서 밖으로 갑자기 쏟아지려는 물풍선을 급히 붙잡듯 얼굴의 주름은 순간 수축한다.

"인간의 얼굴은 감정의 괄약근이다. 그것은 시도 때도 없이 자주 풀려서 문제"라며 나는 양파를 썰면서, 네가 불편해할까 봐 너스레를 떤다.

오늘, 아직 슬프지 않은 나는, 미리 눈물을 훔친다.

내 안에 그렇게 많이 고여 있어도, 눈물은 한 번도 내 것이 아니었다.

내 것인 적이 없다, 눈물은 너의 것도 살아 있는 누구의 것도 아니다.

살아 있는 이들 중에는 애초에 눈물의 주인이 없다.

다시 못쓰게, 감정에 뒤섞여 얼굴 밖으로 결로처럼 맺힌 후에야

결로를 맨손으로 훔치고 창밖의 풍경을 살피듯, 비로소 나는 내 안에 고여 있던 내 것이 아니었던 눈물을 만진다.

내 안팎의 온도 차로 발생한 축축하고 미지근한

제 가치를 잃은 눈물을 좀 훔친다고 해서 탓할 사람이 있을 리도 없다.

몸은 이기적인 유전자를 담는 그릇에 불과하다,는 건 성긴 학설이다.

정확히 몸은 그 누구의 것도 아닌 '눈물'을 담는 그릇이다.

때때로 온몸이 주먹만 한 심장 속으로 뛰어드는 듯한 고통에 그릇이 흔들리는 만큼 눈물이 흘러넘칠 뿐이다.

그릇은 하나도 잘못이 없다 그러니 그릇은 슬퍼할 자격이 없다.

세월 따라 주름이 많이 간 그릇이 깨지기 전에 '눈물'이 다른 그릇으로 매일 조금씩 누구도 눈치채지 못하게 잘 옮겨지면 된다.

휴일 늦은 저녁, 눈물이 듬뿍 들어간 나의 맛없는 요리를 맛있게 떠먹으려 너는 한참 전부터 커다란 숟가락을 들고 오직 사랑의 힘으로만 설명될 수 있는 시간을 기다리고 있다.

만약 우리의 시 속에 아침이 오지 않는다면

— '시'라는 침실

내 손가락을 만지작거린다. 팔베개를 한 팔이 저려온다. 감각이 사라진다. 네가 눈 감고 내 손가락을 만지작거리는 걸 하릴없이 바라본다. 마치 전생처럼 썰물처럼 내 손가락의 감각이 사라진다. 그리고 깜박깜박 잠이 밀려온다, 미래처럼 밀물처럼. 우리는 함께 잠긴다.

책장을 넘기듯 등이 찰나 꺼졌다 켜진다.

가수면 상태에서 너의 목소리가 환청처럼 들려온다. 어느새 깼는지 아니면 잠들지 않았는지, 내게 하는 말인지 혼잣말인지. 홑이불 같은 너의 목소리를 끌어 덮는다.

전 세계 해변의 면적은 어느 정도일까?

최소한 그 면적의 합은 서울보다 클 거야.

서울이 다 뭐야, 최소한 우리나라보다는 클 거야.

우리나라가 뭐야, 웬만큼 큰 나라보다는 클 거야.

적어도 우리가 만나고 있는 이 '시 세계'에서만큼은 그 모든 나라를 다 합한 것보다 클 거야.

드넓은 해변의 모래.

지난여름 내가 한쪽 발로 절뚝이며 모래 위에 쓴 너의 이름.

해변의 모래는 죽은 이들이 미처 못한 말들이 해와 달빛에 그을려 부스러진 잔해들이야.

–

귓가에 속삭이던 네가 갑자기 벌떡 일어나 라텍스 침대 위를 눈을 감고 걷는다.

한껏 달아오른 해변의 모래에 네 발목까지 다리가 푹푹 빠진다.

죽은 이들의 화장된 말들 속에 발이 푹푹 빠진다.

네 콧등에 금세 땀이 송골송골 맺힌다.

무슨 소리가 좀 들려?

내가 걱정스레 묻는다.

한없이 밤이 이어지고 아침이 오지 않는다면,

세상 약속의 절반 이상은 사라질 텐데.

지키지 않아도 아무도 뭐라고 하지 않을 텐데.

내일 또 보자,라는 말을

못 지킬 약속으로 남기는 일은 다시 없을 텐데.

밤의 벌어진 검은 입,

밤이 창문들을 벌리고 도시가 떠나가라 울기 시작하는 시간.

갓난아기처럼 밤이 울면서 기어 오고, 창문마다 둥근달이 우유병처럼 꽂힌다.

–

되레 밤을 꿀꺽꿀꺽 삼키며 세상에 흘러넘치는 흰 구름들.

책장을 덮듯 밤이 하얗게 잠든다.

밤에 링거액처럼 눈물들이 듣기 시작한다.

귓가에 속삭이던 네가 갑자기 벌떡 일어나 창문을 연다.

커튼이 밀물처럼 밀려왔다 썰물처럼 빠져나간다.

너는 내일 아침에 또 보자는 약속도 없이 창문을 통해 시 밖으로 빠져나간다.

너는,

시 속으로 들어올 때와 나갈 때가 다른 사람 같다.

시 밖에서 우리는 생면부지다.

햇살

이곳에 드리워진 암막 같은 밤이 걷히면 햇살이 이곳을 구석구석 만진다. 해변이 훤히 보이는 해변의 소공원. 소나무가 작은 군락을 이루고 있고 나무 사이 여기저기 해먹이 걸려 있는 곳.

너는 매일 수평선에 두 번 절한다. 너는 자신이 속한 시간에 대해서 내게 말하지 않는다. 대체 너는 어느 시간에 있냐고 물어도, 순전한 농담으로 듣고 웃고 만다.

얼마 전에, 한밤에, 암막 뒤편에 도둑이 들어 잠든 내 가슴뼈를 열어 귀중품들을 발굴해 갔다는데, 그 일이 신기한 경험이었던 이유는 귀중한 것이 하나도 남아 있는 게 없었다는 것이다.

빈 가슴을 몰래 한번 열어보니 무엇이 귀중해 보이나 물으니, 뼈는 몸 안으로 파고 들어간 굳은살이라고 말한다. 그 알쏭달쏭하고 순순한 대답을 꼬투리 삼아, 그 도둑이 정말 너였냐고 되묻는다.

너는 막 수평선을 향한 두 번의 절을 마치고, 대답 없이 바다에 제물처럼 몸을 던진다. 아침 해가 솟고 수평선이 봉분처럼 부풀어 오른다.

해수욕을 마치고 나온 너는 차가워진 온몸으로 따뜻하고 보드라운

–

햇살을 만진다. 해변의 백사장이, 알몸의 아이들이, 늙은 나무들이, 주인 없는 파라솔과 해먹들까지도, 나 역시 거부하지 못하고 햇살을 쓰다듬는다. 기억 속에만 여태 사는 죽은 사람의 따뜻했던 체온의 살갗을 만지듯 시간을 잠시 멈춰 놓고 가만히 쓰다듬는다.

눈을 감고, 햇살은 왜 이렇게 따뜻하고 보드라울까 은연중에 물으니, 웬일로 너는 단호히 답한다. 몸이 없잖아. 죽어서 차갑게 체온을 끌고 내려갈 몸이 없잖아. 오직 기억의 성분으로만 이루어져 있잖아, 햇살이라는 살갗은.

햇살을, 만지며 이곳의 아이들이 무럭무럭 자라나, 우리처럼 무럭무럭 늙어간다.

자꾸 생각나는 괄호

*

거울을 봐, 눈, 눈동자, 눈썹, 코, 콧구멍, 콧방울, 입, 입술, 혀, 귀, 귓구멍, 귓바퀴,
얼굴이라는 괄호 속의 괄호들.
그 괄호들 속의 괄호들이 겹겹이 가득해.
울고 웃어봐, 이목구비에 매달린 주름까지도 다 괄호투성이야.

괄호의 또 다른 표기는 물음표가 아닐까,
너는 달력 속의 숫자에 괄호를 치며 말한다.
너를 두고 떠난 그의 기일이다.
네가 친 괄호 속의 까만 숫자가 흡사 물음표같이 생겼다.

빈틈없는 동그라미로 날짜를 가두면 그가 제 기일로 못 찾아올 것 같아.
이렇게 괄호를 치면 위든 아래든,
하늘에서든 땅밑에서든
살아 있는 자들이 그어놓은 선을 넘지 않아도 쉽게 들어올 수 있잖아.
그리고 무사히 나갈 수도 있을 것 같아.

**

–

지구라는 괄호 속의 무수한 괄호들.

지금 네가 들고 있는 시집을 포함해,

지구 속의 모든 유기물과 무기물을 그려보면 예외 없이 [대{중(소)}]괄호로 조합된 것을 알 수 있다.

먼 산과 바다, 바람과 파도, 나뭇잎과 물고기, 돌멩이들과

어쩌다가 지구라는 괄호 속에 갇힌 해와 달까지.

하다못해 우리 집 창문까지도.

괄호들 속은 침묵과 밤이 가득하다.

의문과도 같은 온갖 생각들이 뭉게구름처럼 생겼다가 이내 텅 빈다.

내 옆에 채워 넣어야 할 괄호처럼 생겼다가

괄호만 벗어두고 사라진 사람에 대해.

사람의 몸은 괄호들의 총합이다,로 시작하는 길고 긴 시험 문항을 받아들고

소괄호 같은 너의 두 눈은 금세 당혹감으로 차오른다.

그 괄호 속은 못 전한 무언의 말들로 들끓다가

거짓말처럼 지워지길 반복한다.

거스러미가 잔뜩 돋아난 너의 거친 손톱은 네 몸 가장 끝의 괄호다.

온몸의 마디마다 괄호로 막힌 너로부터
가장 멀리까지 용케 흘러나온 생각들을 배수진 치며 틀어막고 있다.
손톱은 평생 매 순간 끊임없이 밀려나오는 온갖 생각들을 가두는 작은 댐이다.
생각들이 자란다, 너는 습관처럼 손톱을 바짝 깎는다.
결국 잉크처럼 한 방울씩 새어 나오는 생각들로, 너는 날짜에 괄호를 친다.

'죽음이란, 죽은 사람들에 대한 생각이 혈액처럼 다 빠져나온 것이 아닐까?'
죽은 사람을 생각하며 날짜에 표시를 할 때마다,
지구라는 괄호는 늘 텅텅 비어 보이는데
(이미 잊힌 슬픈 기억 한 토막), 그 괄호 밖으로 하나 빠져나간 것 없이 고여 있다.

너는 왼쪽으로 한번, 오른쪽으로 한번 괄호 두 개를 바짝 붙여
달력에 동그라미를 친다.
동그라미 속에 내 생일이, 어디로 도망도 못 가게 꽁꽁 갇혀 있다.

김중일 | 시인. 2002년 『동아일보』 신춘문예 당선.

주객 관계의 무화, 공백의 시간 구조, 현실과의 재접속

오형엽

김중일 시의 기본 주제는 '시간에 저항하는 기억'이다. 개인적 차원이나 사회적 차원에서 '시간'의 흐름은 존재와 사물의 원상을 훼손시키고 소멸시키거나 죽음에 이르게 하는 강력한 힘으로 작용한다. 인간이 이 운명적 흐름에 저항하는 유일한 방법은 훼손되고 소멸되거나 죽음에 이르는 존재와 사물을 '기억'하는 것이다. 따라서 김중일의 시에서 주목해야 할 부분은 '시간에 저항하는 기억'이라는 기본 주제를 형상화하는 시적 방법론으로서 어법, 기법, 문체, 언술 구조 등과 관련해서 '시적 주체', '시적 기법', '시간 구조' 등이 각 시기별로 어떤 변별성을 가지고 전개되는지 살피는 일이고, 더 나아가 이러한 미학적 특이성들을 수렴하고 결집하면서 관계의 역학을 성립시키는 구조화 원리를 살피는 일이다.

김중일은 제1기에 해당하는 첫 시집 『국경꽃집』(창비, 2007)에서 도시적 일상에서 꿈의 무의식과 현실의 의식이 중첩되는 시간의 몽타주를 통해 적막과 공허의 아우라를 형상화하고, 두 번째 시집 『아무튼 씨 미안해요』(창비, 2012)에서 몽상과 인식의 경계에 선 불면증자의 언어로 현실의 이면에 숨겨진 꿈의 풍경을 인화한다. 이 시기의 김중일 시는 현실과 환상, 현재와 과거, 기억과 망각, 필연과 우연, 의식과 무의식의 경계에 놓인 '몽유자'라는 시적 주체, 서사적 문장 표현을 중심으로 전개되는 시적 어법, 꿈과 현실이 기생 · 부식 · 잠복 · 투항의 과정을 통해 함입되고 중첩되는 시적 기법, 꿈과 현실이 일종의 자기 반영성을 가지는 중층적인 시간 구조 등의 특이성을 보여준다. 이러한 미학적 특이성들을 수렴하고 결집하면서 관계의 역학을 성립시키는 구조화 원리는 '꿈과 현실의 상호 대칭성'이라고 간주할 수 있다.

또한 김중일은 제2기에 해당하는 세 번째 시집 『내가 살아갈 사람』(창비, 2015)에서 사랑의 상실과 죽음으로 초래된 부재의 현실에서 존재의 희박한 근원을 추구하는 모습을 보여준다. 이 시기의 김중일 시는 혈육의 친족성에 의거하여 객체와 내적으로 함입되는 '우로보로스ouroboros'적 시의 주체, 1인칭 화자의 내적 고백을 중심으로 전개되는 시적 어법, 육체적 · 공간적 측면에서 주체와 객체의 내적 함입을 성사시키고 정신적 · 시간적 측면에서 사랑의 에로스적 힘과 기억을 종합하는 시적 기법, 현재-미래-과거로 전개되는 순환적이고 원환적인 시간 구조 등의 특이성을 보여준다. 이러한 미학적 특이성들을 수렴하고 결집하면서 관계의 역학을 성립시키는 구조화 원리는 '주체와 객체의 내적 함입'이라고 간주할 수 있다.

그리고 김중일은 제3기에 해당하는 네 번째 시집 『가슴에서 사슴까지』(창비, 2018)에서 부성의 세계에서 벗어나 과거의 생명이 수렴되고 미래의 죽음이 소급되는 애도의 시간을 통해 폐허와 슬픔을 견디고, 다섯 번째 시집 『유령시인』(아시아, 2019)에서 삶과 죽음의 경계를 넘나드는 유령 화자의 독백을 통해 망각에 저항하여 잊히려는 것에 대한 끊임없는 복원을 시도한다. 이 시기의 김중일 시는 '투명인간' 혹은 '유령'의 위상을 가지는 시의 주체, 1인칭 화자의 내적 고백을 중심으로 전개되는 시적 어법, 육체적 · 공간적 측면에서 주체와 객체의 관계를 무화시키고 정신적 · 시간적 측면에서 나르시소스적 자아와 타나토스적 허무를 종합하는 시적 기법, 과거 · 현재 · 미래가 소거되는 공백의 시간 구조 등의 특이성을 보여준다. 이러한 미학적 특이성들을 수렴하고 결집하면서 관계의 역학을 성립시키는 구조화 원리는 주객 관계의 무화라고 간주할 수 있다.

김중일이 2021년에 발표한 시들은 제3기 시의 연장선에서 그 미학적 특이성들과 구조화 원리를 확장하고 심화하는 양상을 보여준다.

> 우리는 한날한시 한 유령시인의 애도 시 속에서 우연히 만나 사랑하게 된 사이.
>
> 주방에서 나는 연신 눈물을 훔치며 콧노래를 부른다.
>
> 오늘은 지금까지 슬펐던 것이 그다지 슬프지 않은 날이다, 그래서 더욱 마음껏 슬퍼해도 좋은 날이다.
>
> …(중략)…
>
> 세월 따라 주름이 많이 간 그릇이 깨지기 전에 '눈물'이 다른 그릇으로 매일 조금씩 누구도 눈치채지 못하게 잘 옮겨지면 된다.
>
> 휴일 늦은 저녁, 눈물이 듬뿍 들어간 나의 맛없는 요리를 맛있게 떠먹으려 너는 한참 전부터 커다란 숟가락을 들고 오직 사랑의 힘으로만 설명될 수 있는 시간을 기다리고 있다.
>
> —「좋은 날을 훔치다 — '시'라는 식당」 부분

이 시에 등장하는 화자 "나"는 "너"와 모종의 관계를 형성하면서 "우리"를 이룬다. 그런데 이 둘의 관계는 "한날한시 한 유령시인의 애도 시 속에서 우연히 만나 사랑하게 된 사이"이다. "유령시인"의 "시 속에서 우연히 만"난 이 둘의 관계는 삶과 죽음의 경계를 넘나드는 유령 화자의 시 속에서 다시 1인칭 화자의 고백을 중심으로 전개된다. 따라서 이 시는 액자식 내적 고백이라는 어법을 둘러싸고 희미하고 몽롱한 아우라를 만들어낸다. 이 내적 독백에서 중심을 이루는 요소는 "주방에서 나는 연신 눈물을 훔치며 콧노래를 부른다"에 나타나는 "눈물"과 "오늘은 지금까지 슬펐던 것이 그다지 슬프지 않은 날이다, 그래서 더욱 마음껏 슬퍼해도 좋은 날이다"에 나타나는 "슬픔"이다. 후반부에 나타나는 "세월 따라 주름이 많이 간 그릇이 깨지기 전에 '눈물'이 다른 그릇으로 매일 조금씩 누구도 눈치 채지 못하게 잘 옮겨지면 된다"에서 화자는 "세월"과 "주름이 많이 간 그릇"과 "눈물"의 이동을 통해 육체적 · 공간적 측면에서 주체와 객체의 관계를 무화시키고 정신적 · 시간적 측면에서 나르시소스적 자아와 타나토스적 허무를 종합하는 차원을 무미건조하고 자연스럽게 표현한다. "너는 한참 전부터 커다란 숟가락을 들고 오직 사랑의 힘으로만 설명될 수 있는 시간을 기다리고 있다"라는 마지막 문장에서는 과거 · 현재 · 미래가 소거되는 공백의 시간 구조라는 미학적 특이성 및 주객 관계의 무화라는 구조화 원리를 생성시키는 원천이 "사랑의 힘"임을 암시하고 있다.

> 내 손가락을 만지작거린다. 팔베개를 한 팔이 저려온다. 감각이 사라진다. 네가 눈 감고 내 손가락을 만지작거리는 걸 하릴없이 바라본다. 마치 전생처럼 썰물처럼 내 손가락의 감각이 사라진다. 그리고 깜박깜박 잠이 밀려온다, 미래처럼 밀물처럼. 우리는 함께 잠긴다.
>
> 책장을 넘기듯 등이 잘나 꺼졌다 켜진다.
>
> 가수면 상태에서 너의 목소리가 환청처럼 들려온다. 어느새 깼는지 아니면 잠들지 않았는지, 내게 하는 말인지 혼잣말인지. 홑이불 같은 너의 목소리를 끌어 덮는다.
>
> …(중략)…
>
> 귓가에 속삭이던 네가 갑자기 벌떡 일어나 창문을 연다.

커튼이 밀물처럼 밀려왔다 썰물처럼 빠져나간다.

너는 내일 아침에 또 보자는 약속도 없이 창문을 통해 시 밖으로 빠져 나간다.

너는,

시 속으로 들어올 때와 나갈 때가 다른 사람 같다.

시 밖에서 우리는 생면부지다.

—「만약 우리의 시 속에 아침이 오지 않는다면 — '시'라는 침실」 부분

이 시에 등장하는 화자 "나"도 "너"와 모종의 관계를 형성하면서 "우리"를 이룬다. 시적 화자는 "내 손가락을 만지작거린다", "네가 눈 감고 내 손가락을 만지작거리는 걸 하릴없이 바라본다" 등의 의식의 상태로부터 "마치 전생처럼 썰물처럼 내 손가락의 감각이 사라진다", "깜박깜박 잠이 밀려온다, 미래처럼 밀물처럼. 우리는 함께 잠긴다", "너의 목소리가 환청처럼 들려온다" 등의 "가수면 상태"를 거쳐 내적 사유를 진술하는 무의식 상태로 잠입한다. 화자는 "손가락의 감각"이 "전생처럼 썰물처럼" "사라지"고 "잠"이 "미래처럼 밀물처럼" "밀려"오는 가수면 상태에서 의식과 무의식의 넘나드는 내적 독백을 통해 "우리"가 "함께 잠"기는 체험을 진술한다. 마지막 연에서 "너는 내일 아침에 또 보자는 약속도 없이 창문을 통해 시 밖으로 빠져나간다"라는 문장은 시적 화자의 내적 독백 속에서 공동의 운명으로 연결된 "너"의 위상이 과거·현재·미래가 소거되는 공백의 시간 구조라는 미학적 특이성 및 주객 관계의 무화라는 구조화 원리를 이탈하여 다시 현실과 접속하는 새로운 차원으로 전개되는 가능성을 제시하고 있다. 주객 관계의 무화, 공백의 시간 구조, 현실과의 재접속을 경유하면서 김중일의 시가 앞으로 어느 방향으로 나아갈지 함께 주시하기로 하자.詩

오형엽 | 문학평론가. 본지 주간. 고려대 국문과 교수. 1994년 『현대시』 신인추천작품상 평론부문, 1996년 『서울신문』 신춘문예 로 등단. 비평집으로 『신체와 문체』 『주름과 기억』 『환상과 실재』 『알레고리와 숭고』 등이 있다.

기혁

● 추천 우수작

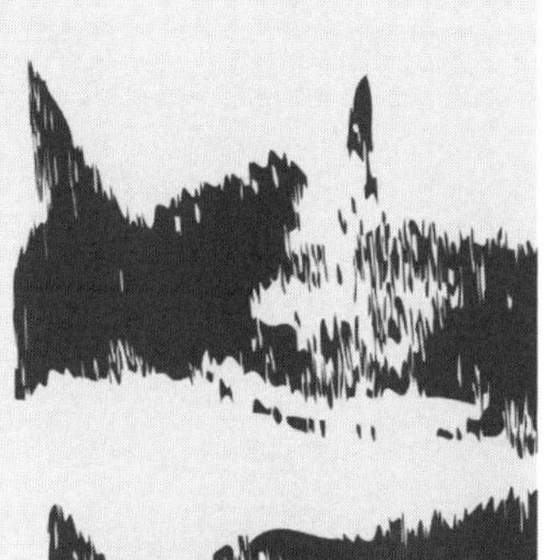

_눈사람 신파극
_첫인상
_물의 정물靜物
_호명呼名
_층계참에 선 유다

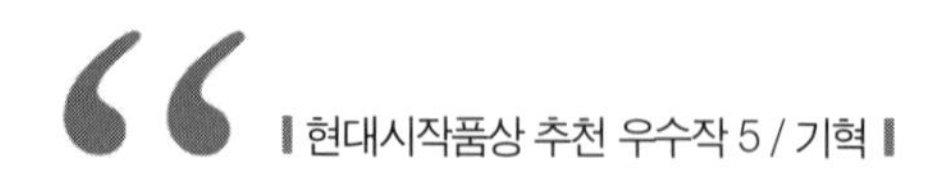

현대시작품상 추천 우수작 5 / 기혁

눈사람 신파극 외 4편

잘못 날아온 눈덩이 하나가
가슴께를 치고 들어온다

둥글었지만 미완이었고
얼어붙었지만
액체의 경험이 기억의 전부였다

수십 개의 눈덩이를 주고받던 아이들은
미안한 기색도 없이
서로의 외상外傷을 별명처럼 늘어놓는다

코피도 머리 혹도
우스꽝스러운 유희가 되어 두 뺨을 붉게 만들 때
속수무책 날아오는 차고 시린 슬픔을

한 번의 고함으로 멈출 수 있을까

사랑이 머물던 자리는 너무 뜨거운 것이 아니라
소심하다는 생각
조심조심 눈덩이를 피해 가다

–

마주 오는 행인과 부딪치면 참았던 울음을
또다시 속으로 욱여넣는다

지나간 사연들로 들끓는 뒷골목에서
포물선을 그리며 녹아내린 눈덩이들이
그만큼의 수위水位를 높이면

물에 물을 탄 어떤 고독이라도 마침내 바다가 될 것이다

파도의 가능성을 더 단단하게 뭉치는 아이들을 피해
빙판길로 들어설 무렵

동네에서 가장 오래된 전봇대를 붙들고
귀신에 홀린 듯 씨름하던 취객은

익사溺死를 걱정해야 한다

좀처럼 얼지 않는 동지의 어둠 속
웅크린 품 안에서 배 한 척이 밀려 나온다

–

눈덩이 하나 어쩌지 못하는 체온으로
서럽게 다른 체온을 부르는
눈사람

움직이는 눈사람을 신파라고 여긴다면 사람의 폐허엔
겨울만이 발 디딜지 모른다

배를 밀다 주저앉은 그날처럼
식어가는 모든 것들의 뒷모습이 닮아간다

첫인상

멀리서 보면 분명한 경계를 이루는 산맥

한 치의 흐트러짐도 없이
누군가 뜯어내리면
매끈매끈한 감촉이 느껴질 만큼

우아하게 마무리된 질감 때문에
우리는 종종 산맥의 내부를 잊어버린다

석양으로 물든 대자연 앞에서
연신 셔터를 누르기 바쁜 사진사들

피사체라는 단어는 조금 무책임했다
구도와 노출이란 말들도

두 발로 걸어 나온 산맥이
바로 앞 탁자에 앉아
나른한 표정을 짓는 것처럼

저명한 사진 콘테스트에선

—

언제나 합성된 희귀동물이 문제였지만

존재의 가장자리마다 꼭 맞는 포즈를 취하는 건
노련한 모델조차 쉽지 않은 일

하나의 존재가 된다는 건 어떤 기분일까?
존재를 오르다 길을 잃으면
어떻게 구조대를 불러야 할까?

입체를 평면에 담는다는 커다란 자부심에도 불구하고
우리의 사진사들은
산기슭 어딘가를 헤매고 있다

겉으로 드러나지 않는 맹수와 올무
저녁 식사를 준비하는 산장지기와
버너의 가스 불을 상상하면서

불안의 손전등을 꺼내들고
미궁 속 미노타우로스*가 내뱉는
존재의 숨소리와

–

1인 2역의 잠꼬대를 의식하면서

처음 만난 타인의 험준한 협곡 하나를
지도와 나침반 없이 넘어가려 한다

* 반은 사람이고 반은 소인 그리스 신화 속 괴물. 장인匠人 다이달로스가 설계한 미궁 속에서 살았다.

물의 정물靜物

—

끊임없이 배반하며 살아온 삶이다

흐르는 것은 자연스러웠지만
머물던 자리의 투명은
언제나 자국이라 부른다

죽음을 담는 그릇이 있다면 얼굴은
죽음의 자국
살아 있는 물과 뒤섞여
가짜처럼 보일 때도 있었다

목마른 벌레의 기분으로
물병에 꽂힌 조화造花를 바라볼 때
매일아침 탁자를 순례하는 고독이
둥그런 자국을 남긴다

그것은
붓으로 그린 것보다 정교한 진실의 흔적
명명의 순간부터 나에겐
원죄를 벗어날 수 없는 강박이 있다

–

천사는 늘 과장법이었고
종잡을 수 없는 감정의 궤적도
언어의 순도를 지키지 못했다

수면에 비친 오필리아Ophelia의 얼굴마저
덧칠한 불순물로 일렁거릴 무렵

나는 가면이 되어 울고 있었다
가면의 움직임을 따라
비련의 자국이 되어 있었다

펄펄 끓어도 사라지지 않는 도시의 무의식이
내 정신의 양수가 되고
타인을 본다는 믿음마저
하수구 속 시커먼 요람으로 배출되는 동안

순수함은 증발하는 위선에 시간을 더한 것
오래된 찬양을 위해서 자주 신의 이름을 불렀다

—

젖은 종이가 마르면 아직도 사막이 지글거린다
세속적 욕망을 채운 물자루들을 가장
인간적으로 경멸했던 낙타는
경전을 운반하며 일생을 보냈다고

낙타의 등에서 함께 밤이슬을 맞던 순례자가
물 얼룩 때문에 목숨을 끊을 때

한 폭의 수채화가 진실을 목마르게 할 수도 있다고 생각했다

신이 담겼던 그릇에서
투명의 반대편은 잊기로 하자
촛불이 꺼질 때까지

물감이 풀린 성수聖水는 오직 자신을 용서하는 중이다

호명呼名

당신이 나의 등에 집을 새겨 놓았습니다 아무도 살지 않았지만 인기척이 날 때마다 문을 여닫는 소리가 들려옵니다 담장이 조금 허물어지고 오가는 사람 누구나 집의 내부를 상상하는 것 같습니다 포위된 병사들이 뿔뿔이 흩어져 하늘을 보듯이 처마 끝 허공에는 간절함의 무게가 가득합니다 이따금 우편물이 되돌아오면 낮은 발자국 소리에도 소름이 돋습니다 고백은 빈 편지를 보내고 다시 입구를 뜯어 할 말을 보태는 빈 틈인가요 오래된 집일수록 빈틈이 사람을 닮아갑니다 익숙한 외로움은 집안일만큼 티가 나지 않습니다 나도 집주변을 서성이는 불한당처럼 당신의 이름을 불러봅니다 당신, 당신의 뒷모습도 안심이 되진 않을 테지요 노을에 물든 새들이 내부의 추락을 버티면서 날아갑니다 어쩌지 못하고 밤새 강아지 한 마리를 풀어 놓습니다 겨울바람이 주인처럼 문을 열고 이불 속 등허리에 와 닿습니다

층계참에 선 유다

—

반대편에 서야
떠오르는 말이 있다

계단을 내려온 물이
흙탕이 되어 흘러넘칠 때처럼

외롭지 않았더라면
불순물에 불과한 감정도
각자의 몫으로 불리길 바랐을 것이다

직각의 기억으로
가책을 이야기하던 예배당 첨탑은
지면 낮은 곳까지

청소를 끝낸 인부의 얼굴을 떠오르게 한다

신의 거처를 씻어낸
노동과 임금 사이에서
순수한 것들은 중력에 취약했으므로

나는 첨탑을 보는 자의 기도를
첨단의 협업이라 부른다

죽음도
부활도
수직의 배신을 염두에 두지 않았지만
새하얀 관이 들어오면

계단은 물을 더 계산적으로 흘려보낸다

잘 분배된 운구 행렬처럼
누구나
뒤돌아선 모습을 낭비 없이 움직인다

기혁 | 시인. 2010년 『시인세계』로 등단.

수위와 체위

안지영

기혁의 시에 신파가 등장했던 적이 있었던가. 무대를 조롱하는 명연기를 펼치곤 관객에게 요란한 박수를 요구하던 첫 시집 『모스크바예술극장의 기립박수』(2014)에서 시작하여 일상의 공간에서 반복되는 권태를 견뎌야 하는 우울을 토로한 『소피아 로렌의 시간』(2018)을 지나 이제 그의 시에는 신파의 그림자가 어른거린다. 물론 예상대로 그의 신파는 뻔한 스토리에 감정을 주체하지 못하고 금세 식어버릴 눈물을 쏟고 마는 익숙한 신파의 전개를 따르지는 않는다. 대신 끝끝내 울음을 터뜨리지 않고 자기 내면에서 슬픔의 수위를 높여가는 차가운 신파극을 연출한다. 고립된 상황에서조차 울음의 의미를 계산하느라 바쁜 사람들은 각자의 상처를 유희거리로 삼으면서 슬픔 안에서 익사해간다. 슬픔은 공유되지 못하고 내면에 차갑게 얼어붙어 있다. 기혁 시인은 여기에 '눈사람 신파극'이라는 이름을 붙여 이들이 처한 곤경을 가만히 관조한다.

지적인 자유분방함으로 현실 자체를 하나의 부조리극으로 만들어버리거나 혁명에 대한 상상이 가로막힌 시대에 대한 분노를 표출하는 방식으로 일종의 돌파구를 만들어왔던 기혁의 이전 작업과 비교할 때 이번 시들에선 특히 고립된 쓸쓸함이 도드라진다. 깨지고 멍들지언정 세상과 부딪치면서 시적 구조를 구축해왔던 그가 이제 거리를 두고 지켜보는 자리에 머물러 있는 것이다. 시라는 무대를 열어놓고 그 안에서 어떠한 연기가 펼쳐질 수 있는가를 다채롭게 보여주는 대신 무대 위에 남겨져 구조救助를 기다리는 사람들의 조용한 움직임을 그린다. 이들은 서로가 "서럽게 다른 체온을 부르는"(「눈사람 신파극」) 존재들이면서도 서로에게 다가가지 못하고 소심하게도 그 자리에서 주저앉고 만다. 혁명도, 낭만도, 지루한 일상도 없고 여기에는 그저 울음만 있다. 속으로 삼켜지고 삼켜져서 바다가 된 울음만 있다.

사랑이 머물던 자리는 너무 뜨거운 것이 아니라
소심하다는 생각
조심조심 눈덩이를 피해 가다
마주 오는 행인과 부딪치면 참았던 울음을
또다시 속으로 욱여넣는다

지나간 사연들로 들끓는 뒷골목에서
포물선을 그리며 녹아내린 눈덩이들이
그만큼의 수위水位를 높이면

물에 물을 탄 어떤 고독이라도 마침내 바다가 될 것이다

—「눈사람 신파극」 부분

최근의 기혁 시를 지배하는 요인 중의 하나는 외로움인데, 이 시에는 정황이 조금 더 구체화 되어 있다. 사랑에 실패했고 홀로 남겨졌으며, 그런데도 여전히 조심조심 언제 날아들지 모르는 외상外傷을 피해 살아갈 수밖에 없어서 자꾸만 움츠러들고 있다. 미처 피하지 못하고 누군가와 부딪치더라도 울음을 욱여넣고 자기 안에 슬픔의 수위를 높여가고 있는 것이 기혁식 신파극의 한 풍경이다. 무대 위에 올린다면 잠깐은 누군가의 흥미를 끌 것은 분명하지만 사실 특별하달 것도 없는 진부한 사랑 이야기여서 신파라는 장르명이 선택된 것일까. 왜 이들은 감정이 얼어붙은 눈사람이 되어 자신이 울지도, 남을 울리지도 않을 것을 굳게 다짐하고 있는가.

다른 시들에서도 가라앉은 분위기가 공유된다. 「첫인상」에서는 그 쓸쓸함이 피사체의 내부를 망각하고 "연신 셔터를 누르기 바쁜 사진사들"의 무례함으로 음화陰畫되고, 「물의 정물靜物」에서는 "끊임없이 배반하며 살아온" 삶에 대한 회한과 연민에 젖어 "가면이 되어 울고 있"는 얼굴이 클로즈업된다. 세계를 '이따위로' 만든 신(혹은 아버지)에게 책임을 물으며 일종의 배교 행위로서 시를 쓰던 그가 이제 용서라는 단어를 입에 올리고 존재의 취약함을 받아들인다. 「층계참에 선 유다」에서 "순수한 것들은 중력에 취약했으므로" "첨탑을 보는 자의 기도를/ 첨단의 협업이라 부른다"라 진술하는 것 역시 그에 대한 성찰의 결과로 읽힌다. 가장 낮고 더러운 자리에서 첨탑의 순수를 동경하면서 살아갈 수밖에 없는 것도, 어느 순간 '계산적으로' 그 운명을 배신할 자도 결국 다른 존재가 아니라는 것이다.

해서 무대는 여전히 사라지지 않았지만, 이제 그는 자신에게 박수쳐 줄 관객을 찾지 않는다. 각자의 자리에서 자신의 연기를 마음껏 펼쳤다면 그것으로 되었다. 쓸쓸함이 감도는 그의 무대에선 사무치는 외로움에 누구라도 자신의 이름을 불러주었으면 하는 마음이 "간절함의 무게"(「호명呼名」)로 표현된다. 한데 이러한 감수성은 어쩐지 낯설지가 않다. 고립이 자연화 되고 서로가 안부를 궁금해하면서도 서서히 잊혀가는 풍경, 혹은 존재라는 집이 무너져 내려 슬픔에 잠식된 얼어붙은 바다가 되어가는 이 시절의 슬픔이 기혁 시에 녹아 있는 것은 아닐까. 어쩌면 그의 시는 코로나 시대에 어떤 시들이 쓰이고 있는지에 대한 하나의 응답일지 모른다. 너무나 많은 것이 변했는데 무엇이 변했는지 인식조차 어려운 그간의 시간이 그의 시를 읽다가 아프게 다가온다.

한자의 뜻 그대로만 보면 '신파新派'는 새로운 흐름(New Wave)이라고 풀어서 해석된다. 실제로 일본에서 이 용어를 처음 사용했을 때 구파극舊派劇인 가부키 극과 대비시키려는 의도가 들어 있었다고 한다. 물론 이후 신파극이 흥행을 위주로 한 저속한 흥미본위의 내용으로 치우치게 되면서 예술성을 지니지 못한 상업극이라는 의미로 사용되게 되었지만, 한때는 전위였던 것의 몰락을 신파는 그 이름 안에서 모순적으로 체현하고 있는 셈이다. 과거가 되어버린 전위의 기억과 안녕을 고하는 한편으로 생활 속에 눅진하게 배어든 슬픔의 수위를 높여간다는 점에서 기혁 시는 신파라 할 수 있을 테다. 다만 그는 신파의 와중에도 그것과 어떻게 몸을 섞어야 하는지 그 체위를 함께 고민하고 있다. "나는 아직도 앉는 법을 모른다"(「거대한 뿌리」)했던 김수영처럼 신파를 말하면서도 신파를 부정하며 '다른' 신파의 가능성을 시도한다. 아련한 슬픔에 빠져 자위에 머무는 시를 쓰지 않기 위해 어떠한 자세로 시와 관계할지를 모색하고 있다.詩

안지영 | 문학평론가. 본지 편집위원. 서울대 국문과 박사 과정 졸업. 저서로 『천사의 허무주의』와 『틀어막혔던 입에서』, 역서로 『부흥 문화론 : 일본적 창조의 계보』(공역)이 있다.

● 추천 우수작

유계영

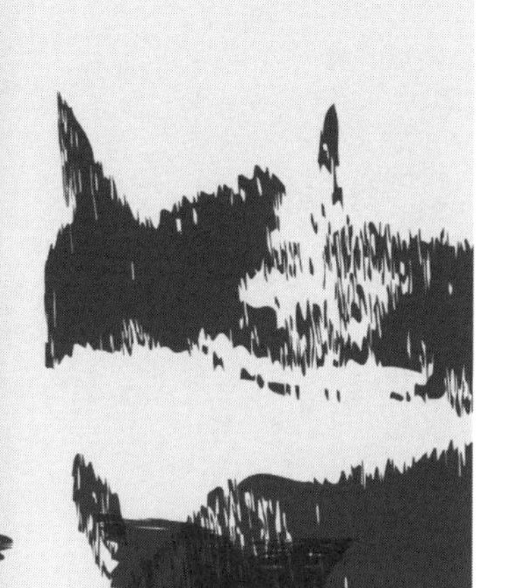

_정수 찾기
_천 번 웃는 기쁨
_경험으로서의 동물원
_한밤의 창문 연주
_만나요

정수 찾기 외 4편

—

애가 밥도 안 먹고 어딜 간 거야?
어머님 그 애는 빙하 타고 서울 갔어요

빙하는 2030년 완전히 녹는다 이젠 "늦었다"
그런 기사를 읽었는데
아무렇지 않은 게 아무 것도 없으면 그땐 정말 끝일 걸
고개만 숙여도 눈물콧물 쏟아질 것 같은데
책도 안 읽고 어른 봐도 인사 안 하는 게 자연의 자세다

북극곰아 "미안해", 전기사용 줄일게
또 다른 기사의 헤드라인 때문에 웃고 말았다
나는 엉터리가 좋은데
자연은 동네 공원에 많거든요 기계는 내 몸에 많구요
맑으면서 끝없으면서
너랑 빈둥빈둥 정수 찾기 한다

빙하를 타고 떠난
끝없이 녹고 있는

눈사람의 정수는 당근 코에 있고
우산의 정수는 꼭지에 있어

—

뒤통수의 정수는 표정에 있고
못의 정수는 대가리에
그렇다면 문제는
개의 정수가 꼬리냐
꼬리의 정수가 개냐

그리다 만 낙서에서 너의 개는
엉킨 선 한 줄로 표현되어 있었는데
완성된 그림이었대도 자연스러운 일이다
잠시도 가만 있지 않는 게 자연의 자세

고대 시계의 정수는 현대 빙하에게 넘어가는 중으로
미안하다고 말하는 연인에게
이제는 늦었어 말하는 쪽이 나였으면 했지만

그렇게 안 됐다
천천히 걷는다 구름 다 지나가고
버스가 나를 태우지 못하게 하기 위해
너의 뒤통수를 보기 위해
꼬리를 밟으려고
정수를 찾으려고

천 번 웃는 기쁨

—

잠자리채와 가짜 총기 사이를 살짝 쥐어보는 비눗방울의 순응
풍경에 대한

부드러운 피부에 둘러싸여 살아요

누구나 자신의 턱 밑을 탈탈탈 긁고 싶어지니까
아름다운 소음은 발생하기 마련입니다

동전 없는 나라였다면 음악이 있었을 리 없죠

저기
발바닥을 벗으려고 어린이가 달려옵니다
목소리를 터뜨리면서

넌 왜 비실비실 웃니?
친구가 엉엉 울었던 일은
엉엉 울었던 일 속에 두고 왔고요
미끄럼틀에 호랑나비 앉았다 간 일은
미끄럼틀에 두고 왔어요

—　웃음이 나는 걸요 이빨이 깨질 듯이

저는 건강해요
캘리포니아산 오렌지처럼요
캘리포니아산 아몬드처럼요

경험으로서의 동물원

—

서부로랜드고릴라를 본 일은 서울동물원에서의 일이다. 검다, 뜨거워.

돌아앉은
등부터 엉덩이까지를
훑어보면서

아이스크림을 먹은 일은 유인원관에서의 일이다.
충분한 당분과 적당한 수분을 얼린
하얀 유크림을
혀끝으로 파고들면서

춥다, 이제 갈까?
가죽과 피부로 이어붙인 장면을 덮고
우리 쉬러 갈까?

수컷이 죽어서 몇날며칠 상심에 잠겨
돌아앉았다는데. 검다, 뜨겁구.
손을 끼우고 발을 담그면
포근해질 것만 같은데

–

고릴라가 멋지게 운다.
자신의 꽁무니를 졸졸 따라다니는 불행한 관객들을
보기 좋게 따돌리고

고릴라가 고릴라의 방식으로 슬프기 때문에
우리는 광적인 독자가 되어간다. 실신 직전처럼
눈과 귀가 멀어간다.

한없이 고개를 숙이면 다른 장면이 펼쳐진다.
숙일 수 있을 만큼 숙일 때 나의 배꼽만 보이던 것이
더 숙일 수 없을 만큼 숙이면 배꼽 너머가 보인다.

오늘 구름은 참 크고 멋지네.
하늘을 올려다보려 하면 입이 벌어진다.
벌어지는 일은 서울동물원에서의 일이다.
약간의 수분과 긴 침묵

입가 좀 닦지 그래?
백기를 건네며 그들이 말한다.

한밤의 창문 연주

우리는 횡단열차를 타고 밤에서 밤으로 이동했지
"다 왔어" 목소리가 자욱한 종점이었어
"그만 일어나" 흔들리는 어깨들의 종점이었어

우리가 움직일 땐 밤도 함께 움직이니까
잠이 쏟아지는구나
쏟아진 잠 속에서 첨벙거리는구나

창밖의 해변으로 비눗방울 몰려왔지
수평선을 보며 자란 아이들은 일찍 알아차리게 되는 걸까
바다가 문이라는 거
작은 파도 꿈 너머
큰 파도 꿈
기다리고 있다는 거

신발 끈의 리본을 꽉 잡아당기는 거 말고
두꺼운 외투 마련해두는 거 말고
그런 거 말고

"다 왔어 이제 그만 일어나"

등을 밀어주듯이 비눗방울 날렸지
밤에서 밤으로 건너가 보려고

너는 돌 수집가도 아니면서 자꾸만 돌을 주워다 달라고 하네
스트라스부르에서 주워온 돌을
경주에 던지고
람푼에서 주워온 돌을
화순에 던지면서
웃네

동물들은 돌 수집가도 아니면서 돌과 돌 사이에 몸을 웅크리고
"더 자" 말하지
이불을 끌어다 덮어주면서
"도착까지 한참 남았어" 속삭이지

물수리 새가 젖지 않고 찢어지지 않고
이중괘선을 가로지른다

파도는 언제나 한 칸 모자라
두꺼운 이불 밑에 잠든 사람

돌이 되는 꿈속에서 어디를 향해 날아가고 있을까

파도는 언제나 정면
총포는 언제나 정면

몸의 작은 나사들이 조여지고 있다
우리가 잠시 플래시 속에 눈 멀었을 때처럼
빛무리 속에 꼼짝없이 갇혔을 때처럼

돌 깨는 소리
비눗방울 터지는 소리
정면으로 날아온다

만나요

—

전쟁기념관에 갈 거예요.
전쟁을 겪지 않은 부모의
첫째 딸이지만 나에게도
옛날이 생길 거예요.
선박 같은 신발을 신고 다니는
남자애들처럼요.
얼굴 가득 옛날 자국
생길 거예요.

지나간 사람이 누구인지
알아야 했습니다.
궁금한 것이 더 있어야 했죠.
귀신의 물체를 선명히 보아야 하고
슬픔이 어둑어둑
몰려와야 했습니다.
골목 끝의 신발 한 짝이
닳고 닳을 때까지
바라보아야 했어요.

하지만

–

들놀이 나온 걸요.
자꾸 뛰고 싶고
자꾸 웃고 싶고
들판이 무서운 속도로
열리는 걸요.
손바닥을 펼치면

세포들

마음은 어디에 있는 관官이냐고 물으셨죠?

아름다워서 탈 많았던
긴 송곳니를
밤새 닦아야 했어요.

빛나는 송곳니를
전신주처럼 세우고
오래전 아이가 될 거예요.
갑각질의 곤충들이

모닥불 속에서
짧은 뿔을 내밀고 있어요.

탁탁 터지고 있어요.

유계영 | 시인. 2010년 『현대문학』으로 등단.

아이러니스트의 송곳니

조강석

유계영 시에서 우선 눈에 띄는 것은 발화의 톤과 시에 담긴 전언의 온도차다. 필자는 일전에 유계영의 시를 논하는 지면에서 관념의 모험이 몸을 얻는 과정이라는 표현을 쓴 바 있다. 이는 일군의 젊은 시인들의 시에 보이는, 모험은 있으되 사유가 단순하거나 문장이 매력적인데 비해 이렇다 할 모험은 없는 일종의 부조화 상태와의 대비를 충분히 염두에 두고 한 말이었다. 예컨대, 유계영은 시집『이런 얘기는 좀 어지러운가』에 실린「실패한 번역」에서 시인이란 '실패한 번역자'라는 생각을 전한 바 있는데, 이때 실패한 번역이란 세계, 언어, 시어를 구사하는 주체 사이에 메워질 수 없는 간극이 있다는 것에 대한 정직한 표현으로 보인다. 이 시에서 "이 노을을 붕새의 날갯짓이라 부르는 자라면/ 역시 시인이다"라고 말한다거나 같은 시집에 실린 다른 시에서 "짐승과 사물들의 소리를 받아 적을 모국어가 충분하지 않다면/ 그래도 상관없다면"(「우리는 친구」)이라고 말할 때 그는 세계의 일신을 꾀하거나 '인식의 세계정복'을 도모하기는커녕 '번역의 실패'를 거듭 확인하면서도 굴하지 않고 줄기차게 진술을 해나가는 실천을 택하는 것으로 보인다. 서두에 언급한 톤과 전언의 온도차가 발원하고 그 결과 일종의 아이러니한 태도가 시에 배태되는 것은 바로 그 때문이라고 할 수 있겠다. 본래 아이러니스트란 형이상학의 챔피언이 아니라 집요한 도전자이기 때문이다.

> 렌즈 밖에서 비가 온다는 것은 이곳이 사진의 내부가 아니라는 것
> 살아 있는 세계라는 것
> 하나를 안다
> 푸줏간의 창밖에 비가 오는 것은 모른다
> 빛을 향해 자라나는 토끼의 앞니를 모른다
>
> —「치齒」 부분, 시집 『이런 얘기는 좀 어지러운가』

아날로지에 입각한 자기동일성의 관점에서의 '번역'은 "살아 있는 세계"를 시인의 '모어母語'로 연역하는 것이다. 사물의 꿈을 인계받고 자기동일성을 유보한("마지막 서정을 미루어두며", 「푸가」) 이가 우선 실패와 마주해야 함은 자명하다. 바로 이 지점에 주목할 필요가 있다. 유계영의 개성은 '사물의 꿈'을 번역하는 저류를 환류하여 그 꿈을 살아보고픈 '실패한 번역자'의 고투로부터 비롯된다. 아이러니스트란 본질을 환원적으로 재진술하는 이가 아니라 그 주위를 맴도는 자이다. 있다는 것은 알지만 가닿을 수 없다는 것조차 알고 있기에 손에 쥐지도 달아나지도 못하고 언저리를 맴도는 이가 아이러니스트이다.

유계영의 언어에 톤과 사유의 집요함이 낳는 온도차가 자리 잡고 있는 것은 그가 바로 이런 의미에서의 아이러니스트이기 때문이다.

> 전쟁기념관에 갈 거예요./ 전쟁을 겪지 않은 부모의/ 첫째 딸이지만 나에게도/ 옛날이 생길 거예요./ 선박 같은 신발을 신고 다니는/ 남자애들처럼요./ 얼굴 가득 옛날 자국/ 생길 거예요.// 지나간 사람이 누구인지/ 알아야 했습니다./ 궁금한 것이 더 있어야 했죠./ 귀신의 물체를 선명히 보아야 하고/ 슬픔이 어둑어둑/몰려와야 했습니다./ 골목 끝의 신발 한 짝이/ 닳고 닳을 때까지/ 바라보아야 했어요.

유계영의 근작시 「만나요」의 일부이다. "궁금한 것이 더 있어야 했죠./ 귀신의 물체를 선명히 보아야 하고", "골목 끝의 신발 한 짝이/ 닳고 닳을 때까지/ 바라보아야 했어요."라고 말하는 이는 전형적인 아이러니스트이다. 아이러니스트를 구성하는 한 축은 숨기려 해도 숨길 수 없는 집요함이다. 사물과 사태를 꿰뚫어보고야 말겠다는 형이상학자의 의지의 일부를 아이러니스트 역시 나누어 갖는다. 그런데…,

> 하지만// 들놀이 나온 걸요./ 자꾸 뛰고 싶고/ 자꾸 웃고 싶고/ 들판이 무서운 속도로/ 열리는 걸요./ 손바닥을 펼치면// 세포들// 마음은 어디에 있는 관官이냐고 물으셨죠?// 아름다워서 탈 많았던/ 긴 송곳니를/ 밤새 닦아야 했어요.// 빛나는 송곳니를/ 전신주처럼 세우고/ 오래전 아이가 될 거예요./ 갑각질의 곤충들이/ 모닥불 속에서/ 짧은 뿔을 내밀고 있어요.// 탁탁 터지고 있어요.

"하지만"이라는 시어가 이끄는 시의 후반부에서 사태는 슬쩍 미끄러진다. 눈앞에 주어진 대상과 사건에 대한 집요한 탐문을 통해 그것이 이미 보유한 해답에 이르는 대신, 다시 말해, "전쟁기념관"이라는 대상이 정향하는 지점에 시선을 고정시키는 대신 이 발화 주체는 가벼운 탈주를 택한다. 물론 그것은 시도 때도 없이, 어쩌면 때와 장소를 모르고 돋아나는, "아름다워서 탈 많았던/ 긴 송곳니" 때문이다. 늘상 주의를 기울이지 않으면 헛되이 사용되거나 무뎌지기 일쑤인 송곳니를 지닌 이는 아이러니스트이다. 대상을 형이상학적으로 저작하는 대신 대상에 뿔을 세우기 위해 아이러니스트는 송곳니를 닦는다. 유계영의 시의 묘미는 모든 대상에, "아름다워서 탈 많았던", 번뜩이는 송곳니를 드리우는 데 있다. 집요하되 무거워지지 않고 넓되 가벼워지지 않는 활유적 이미지들이 그 시의 곳곳에 반짝이고 있다.詩

조강석 | 문학평론가. 본지 편집위원. 연세대학교 영문과 졸업 및 같은 학교 대학원 국문과 졸업. 2005년 동아일보 신춘문예 문학평론 당선. 저서로 『이미지 모티폴로지』 『경험주의자의 시계』 『아포리아의 별자리들』 『비화해적 가상의 두 양태』 『틀뢴의 기둥』 등이 있음. 현재 연세대학교 국어국문학과 교수로 재직 중.

● 추천 우수작

임승유

_그의 태도와 눈빛
_단추를 목까지 채우고서
_종묘
_마음 속 깊은 곳에서
_한 사람이 두 사람을 끌어들여 이틀에 걸쳐 해낸 작업에 대한 보고서

그의 태도와 눈빛 외 4편

–

미나리 캐올게.

이 말을 남기고 나간 사람을 그라고 하자 나는 남게 된다. 남은 김에 영화를 한 편 본다. 처음 본 순간 푸른 눈동자에 매료되어 소년을 좋아하기로 마음먹은 소녀가 나오는 영화다. 소녀가 키 큰 나무에서 안 내려오는 데까지 보다가 잠들었다. 초여름의 오후니까 말이다.

자고 일어났는데도 그는 없다.

어디까지 간 걸까. 고개를 들어 먼 데를 보자, 정말 그가 미나리를 찾아 풀밭을 헤맨다. 미나리는 물가에서 자라고 그는 물소리를 따라 깊이 들어가고 미나리가 자랄 수 있는 환경에서

크고 있는 미나리

이제부터 미나리를 키우는 거야

미나리에 물주는 사람을 나라고 하자 그는 고개를 끄덕인다. 아니 이런 진행으로는 안 될 것 같다. 그가 여기에 있다고 할 수가 없다. 어떻게 하면 그의 태도와 눈빛을 살려낼 수 있을까.

–

미나리를 키우려면 하루에도 몇 번씩 해야 하는 고민이다.

단추를 목까지 채우고서

—

그 사람을 생각했다. 그 사람이 나에 대해 뭐라고 했다는 말을 들은 다음부터다. 누구든 다른 사람에 대해 뭐라고 할 수 있으니

나는 넘어간다. 그러던 어느 날

쇳조각 같은 걸 주워서 바닥을 긁다가 그 날카롭고 소름 끼치는 사운드가 이어지는 게 싫어서 벌떡 일어나 저기 흰 벽을 두르고 서 있는 건물까지, 거의 노을이라고 해도 무방할 정도로 해가 넘어갈 때까지 넘어간다.

하나둘
가로등에
불이 들어오기 시작하고

저 위에서부터 어둠을 끌어내리듯 걸어오면, 가만가만 목덜미를 쓰다듬는 것 같다. 나는 거의 목이 없는데. 그래서 단추를 푸는 게 더 나았지. 내가 내린 판단이 언제나 옳은 건 아니지만 얼굴도 모르고 나이도 모르는

그 사람의 이름은 잊히지 않는다. 이름이 보일 때마다 깊은 관심을 갖

–

는다. 쇳조각의 감촉이 되살아날 때마다 주머니를 뒤적인다

아 이런 전개는 … 의도한 게 아니지만 진심 같고, 하지만 진심은 무엇이란 말인가. 진심으로 인해 어두컴컴한 주머니 속을 돌아다니느니

내 손에 아직 쇳조각이 있다는 걸 깨닫고는 얼른 주머니에 집어넣는다.

그래도 미진하면,

양손이 있다는 것. 양손으로 머리카락을 들어 올려

한 손으로는 잡고 나머지 한 손으로는 묶는 것. 이 정도는 해야

넘어가도 넘어가는 게 된다.

종묘

어쩌다 거기까지 갔는지 모르지만 버스를 타고 한참 가야 나오는 오래된 집 앞에 서 있었다. 양손에는 모종삽과 화초를 들고서.

빛이 쏟아져 내리는 마당으로 걸어가

땅을 판 후에 들고 있던 화초를 심고 돌아오면 되는 그런 장면 속에 있었을 뿐인데. 나는 어느새 주인이 되어 집안으로 들어가 모자와 장갑을 챙겨들고 현관문을 나오고 있었다.

하루가 지나고 이틀이 지나고

내가 몇 년 동안 거실에 모아두었던 화초를 다 옮겨 심고 나서야 돌아갈 때가 됐다는 사실을 알았다. 돌아와서는 깊은 한숨을 내쉴 수밖에 없었다. 화초를 심기만 하고 물을 주지 않았던 것이다. 모두 허사였다. 왜냐하면 나는 어떻게 하면 다시 그 장면 속으로 들어갈 수 있는지 모르기 때문이다. 또 한 가지 나를 어리둥절하게 했던 것은 혼자서 그 먼 곳으로 갔다가 돌아왔다는 점인데

내가 혼자서는 아무것도 못하는 사람이라는 걸 아는 사람은 다 알고 있기 때문이다.

마음 속 깊은 곳에서

—　　몇 발자국 걸어 나가면

꽃나무가 드문드문 있어서 꽃이 피었다는 사실을 모르지 않던 어느 날 아침, 연분홍 프릴 칼라 원피스 차림으로 출근한 동료와 이야기를 나눴다.

프릴과 원피스와 레이스에 대해

그리고 오늘 아침 누가 봐도 그날의 대화와 무관하지 않은 아 그 레이스, 라고 할 만한 원피스를 입고 거울 앞에서 히죽 웃었는데

미리 한 연습이다. 동료 앞에서는 화사하게만 웃고 싶은데 나도 모르는 웃음이 번져 나오면 프릴과 레이스와 원피스 그리고 꽃나무와 관련해 어떤 국면이 펼쳐질지 모르고

산적한 업무를 처리하기도 바쁜 나날 가운데서, 어지럽게 흩날리는 꽃잎을 따라가다 중간에 멈추는 일만은 피해야 했다.

한 사람이 두 사람을 끌어들여 이틀에 걸쳐 해낸 작업에 대한 보고서

― 한 사람은 모든 작업 과정을 구현해낼 수 있는 사람이지만 망설였다. 한 사람을 움직인 건 두 사람이다. 두 사람은 준비 되어 있었다. 팔꿈치로 지지대를 세운 다음 두 손을 펼쳐 얼굴을 들어 올렸다. 한 사람을 바라봤다. 그러던 어느 하루 무섭게 비가 쏟아지다가 멈춘 저녁에 한 사람이 마음을 먹었다. 긴 옷이 필요합니다. 다 입었으면 모기 기피제를 뿌리겠습니다. 채집망을 들어주세요. 장화를 신었군요. 잘했습니다. 이리로 오시기 바랍니다. 제가 풀숲 한가운데 미리 의자를 가져다 놓은 이유는 여기서 방향을 틀기 위해서입니다. 자 이쪽입니다. 여기가 너무 깊지 않아 좋군요. 넘어질 것 같으면 휴대전화는 위로 들어주세요.

방수가 됩니다.

아 그럼 아무렇게나 되는 대로 하면 되겠습니다. 되는 대로 작업하는 동안 많은 풀벌레 다가와서 울었다. 윙윙거린다 하지 않고 울었다 하는 그 마음 짚어봐야 했지만 피곤해서 숙소로 돌아와 씻고 잤다. 다음날이 되었다. 한 사람이 지시한 대로 두 사람은 작업을 시작한다. 한쪽엔 껍질이 쌓이고 한쪽엔 알맹이가 쌓인다. 결과가 정직하게 드러난다. 너무 쉽게 끝나버리는 걸까. 두 사람은 이따가 만나, 인사하며 헤어진다. 한 사람으로 하여금 작업을 계획하고 지시를 내리도록 종용한 두 사람의 여름날이 양분된다. 여기서부터 어려워진다. 멀리 나가 꺾어 온 꽃을 건

– 네기도 했지만 안녕, 말끝을 길게 늘이며 인사하는 안녕을 위해, 웃고 떠들고 걸었던 날들을 위해 작성하는 보고서. 어떻게 끝날지 모르는 보고서를 작성하고 의자에서 일어나 식당으로 가면 한 사람이 만들어놓은 음식을 먹을 수 있다. 이미 모두 모여 먹고 있을지도 모른다.

임승유 | 시인. 2011년 『문학과 사회』로 등단.

질문하는 장소들의 시차視差

조강석

첫 시집 『아이를 낳았지 나 갖고는 부족할까 봐』를 통해 임승유는 마치 심부름 가는 아이가 낯선 세계를 처음 구경하듯(“친척 집에 다녀와라”, 「모자의 효과」) 세계를 묘사해 내었다. 그런 까닭에 이 시집에는 세 개의 정감이 묘하게 배어 있다. 가벼운 흥분감마저 감도는 경쾌한 정서를 우선 꼽을 수 있겠다. 그런데 첫 번의 독서에서 감지된 이 경쾌함은 독자들에게 고스란히 인계되지 않는다. 왜냐하면, 실은 이 경쾌함이 글자 그대로 가벼운 것이라기보다는 새로 익힌 세계와 대면하는 누군가가 방패로 두른 의장과도 같은 것이라고도 할 수 있기 때문이다. 이를 역설적으로 증명하는 것은 이 시집에서 담긴 두 번째 태도와 방법, 즉, 낯선 세계의 감각적 전유이다. 시를 매개로 재설정된 시계에 든 낯선-혹은 방법적으로 낯설어진-사물과 사태들을 기존의 경험 목록 중 가장 유사한 것에 잇대어 놓고자 하는 노력을 시집의 여러 곳에서 확인

할 수 있다. 인식의 베일 너머에 이미 존재하던 세계는 시의 시계 안으로 들어오며 일단 한 번 낯설어진 후에 감각적 전유를 거쳐 이내 익숙한 세계로 변환된다. 그러나 사태가 여기서 종결되지는 않는다. 문제는 이 변환이 잔여물을 남긴다는 사실이다. 여러 시에 경쾌함과 더불어 묘한 불안이 스며 있는 것은 이 때문이라고 할 수 있겠다. 감각적 전유를 통해 경험의 세목들과의 아날로지 혹은 동기화 공정을 거친 세계가 불쑥불쑥 동기화 이전의 얼굴을 내민다. 그러니까 임승유의 첫 시집에는 세 개의 벡터가 교차한다. 신기성과 경쾌함, 전유와 안도, 그리고 언캐니와 불안이 그것이다. 독자들이 이 첫 시집에서 어떤 국면에 주목하는가에 따라 이 시집은 표정을 달리한다.

두 번째 시집, 『나는 겨울로 왔고 너는 여름에 있었다』는 언캐니 쪽으로 급격히 기운다. 아니 조금 더 정확하게 말하자면 이 시집은 언캐니를, 익숙한 세계의 낯설어짐을, 낯선 세계의 기시감을 어떻게 추적해야 할지를 묻는 이의 언어로 가득하다. 이제 시를 쓰는 일은 성실한 탐구가 된다.

> 질문은 답을 앞에 세우고 뒤쫓아 가는 행위다. 던져 놓고 달려가 주워 올 때처럼 윤곽이 생긴다. 윤곽의 끝에서 심벌즈가 멈춘 것처럼 질문하는 존재는 질문하는 그 순간 온몸으로 진동하고 진동하는 자신의 몸을 끌어안는다. …(중략)… 막막한 매 순간마다 그 막막함으로 스스로를 감싸 안으며 스스로 존재한다.(임승유, 「운동장을 돌다가 그래도 남으면 교실」, 『문학들』, 2019, 봄호, 6쪽)

시인의 산문을 시에 대한 알리바이로 삼는 것에 위험이 없지 않지만 위에 인용한 임승유의 산문은 전체를 곱씹어 볼 만한 문제적 시론이다. 여기서 임승유는 "질문의 내용이 뭐였는지 곱씹고 곱씹어 하나라도 놓칠까봐 문장을 적고 지우고 또 적는 것이다"(9쪽)라고 말한다. 조금만 더 읽어보자.

세계는 현실의 틈을 벌려 질문을 던지고 그 질문을 받아 든 주인공은 '젠장 역시 상관하지 말 걸 그랬어' 후회하면서도 '하지만, 하지만' 그러면서 개입하고 마는 것이다. …(중략)… 때로 문장은 누군가에게 상처가 될 수도 있는데 그럼에도 불구하고 문장을 멈추지 못하는 건 그것이 질문에 답하는 행위이기 때문이다. 자신이 속한 세계에서 위화감을 느끼는 사람은 쓰는 사람이 된다. 그러므로 쓴다는 것은 위험에 처하게 될지도 모르면서 '하지만, 하지만' 중얼거리는 행위에 다름 아니다.(10쪽)

임승유의 두 시집이 결국 질문의 형식을 띠고 있다는 것은 충분히 이해가 가는 일이다. 물론 차이는 있다. 첫 시집이 경쾌하면서도 가볍지 않았다면 두 번째 시집은 진지하면서도 무겁지 않다. 그러나 두 시집을 여일하게 관통하는 것은 질문을 구체화하면서 펼쳐지는 임승유 시인 특유의 감각적 이미지들이다. 이 이미지들이 하는 일이 무엇인가? 질문하는 자의 장소를 구성하는 것이다. 근작시에서 이 점은 더욱 도드라진다. 최근 임승유 시의 비밀공간(?)은 시차視差를 통해 발생하는 것으로 보인다.

아니 이런 진행으로는 안 될 것 같다.

—「그의 태도와 눈빛」 부분

아 이런 전개는 … 의도한 게 아니지만 진심 같고

—「단추를 목까지 채우고서」 부분

땅을 판 후에 들고 있던 화초를 심고 돌아오면 되는 그런 장면 속에 있었을 뿐인데. 나는 어느새 주인이 되어 집안으로 들어가 모자와 장갑을 챙겨들고 현관문을 나오고 있었다.

…(중략)…

왜냐하면 나는 어떻게 하면 다시 그 장면 속으로 들어갈 수 있는지 모르기 때문이다. 또 한 가지 나를 어리둥절하게 했던 것은 혼자서 그 먼 곳으로 갔다가 돌아왔다는 점인데

—「종묘」 부분

세 개의 시점이 만드는 시차가 있다. 사태를 그러모으는 위치에 있는 '나'의 시계, 객관적일 것이라고 상정된 어느 시점에서 발원한 시선이 만드는 시계, 모든 것을 통어할 수 있다고 믿는 이의 드러나지 않은 시계가 시의 화면에 겹쳐진다. 이 시계들이 만드는 공유지와 여백, 그리고 발길이 닿지 않는 후배지에 맺히는 질문들을 길어올리는 시들이 계속 쓰여지지 않을까.詩

조강석 | 문학평론가. 본지 편집위원. 연세대학교 영문과 졸업 및 같은 학교 대학원 국문과 졸업. 2005년 동아일보 신춘문예 문학평론 당선. 저서로 『이미지 모티폴로지』 『경험주의자의 시계』 『아포리아의 별자리들』 『비화해적 가상의 두 양태』 『틀뢴의 기둥』 등이 있음. 현재 연세대학교 국어국문학과 교수로 재직 중.

● 추천 우수작

안태운

_생물 종 다양성 낭독용 시
_인간의 어떤 감정과 장면
_경주
_자전거를 타고 가는 사람을 타고 가는
_눈석임물

생물 종 다양성 외 4편
낭독용 시

이제부터 생물 종 다양성에 대해서 살아갈 것이다,
라고 나는 오늘 다짐했다
거울 속 나의 얼굴을 바라보며 내 얼굴과 나뿐 아닌 인간 얼굴의 여러 가지 면을 떠올려보다가도, 아니 아니 그게 아니야 그게 아니라
생물 종 다양성에 대해서
하지만 어떻게?
내 삶 공간에서 어떻게?
어떻게 업으로 삼을 수 있을까, 지금에라도
사뭇 진지해졌는데
당장 해볼 수 있는 게 있을까, 멀리서라도
그러므로 오늘은 절멸한 생물들의 이름을 반복해서 되뇌어보는 시간을 가졌죠 생김새를 떠올려보며 오랫동안

……

랩스 청개구리(Ecnomiohyla rabborum)
브램블 케이 멜로미스(Melomys rubicola)
포오울리(Melamprosops phaeosoma)
크리스마스섬집박쥐(Pipistrellus murrayi)
콰가(Equus quagga quagga)
세실부전나비(Glaucopsyche xerces)
스텔러바다소(Hydrodamalis gigas)

\- 타이완구름표범(Neofelis nebulosa brachyura)

……

인간의 언어로

한국인이므로 현대 한국어족의 화자이자 청자로서

라틴어 학명을 어떻게 읽어야 하나 구강을 이리저리 움직거려보면서

한국인의 조음 방식과는 좀 다르게 시도하면서

그렇게 혼자 되뇌어보는 나를 보면서도 순간

기만적입니까,

라고 의식했습니다만

인간이므로

인간으로서

인간이니까 어쩔 수 없다고 받아들였지만

인간 때문에 동식물이 자연도태보다 500배나 빠르게 절멸되고 있다,

2010년대에만 467종이 절멸되었다,

라고 지구에서는 내내 보도되고 있다

그러므로 내가 할 수 있는 건 없나요

나는 한 인간의 생애 동안 한 종이, 아니 그 정도가 아니라 숱한 종이 절멸되고 있다는 사실에 아연해졌는데

그 시간과 공간을 오랫동안 가늠해보다가 헤량할 수 없다,

라고 천천히 발음해보았는데

—

그런 내 인간의 몸과 마음을 낯설어하면서요

몸과 마음의 상실에 대해서

내 몸과 마음뿐 아니라 내 몸과 마음의 종뿐 아니라 다른 생물체의 대대손손의 상실에 대해 헤량할 수 없었는데요

이제부터 생물 종 다양성에 대해서 살아갈 것이다,

라고 나는 오늘 다짐했고

그러고 나자 무엇을 할 수 있을지 모르겠다

당장 옆 사람이 있다면야 두 손을 힘껏 맞잡으며

그래 그래 오늘부터야

무엇을 어떻게 행해야 할지 모르면서도

다짐을 하고 계속 다짐을 다짐하고 그래 그래 두 손을 꼭 맞잡고서 다짐은 두 손이 되기도 하고

할 수 있다고 여기서 찾아나가자고, 그렇게 서로의 얼굴을 바라볼 수도 있었을 텐데

오늘 옆 사람은 없었으므로

다만 지금은 한 생물 종의 보존을 위해 평생을 바치는 사람을 떠올려 보았죠

나도 인간으로서 그렇게 쓰이고 싶다는 마음도 들었지만

되고 싶지만 내가 될 수 없는

\-

그 삶 공간에서 하루하루 업을 이어나가는 사람들
그 사람들을 다만 보존하고 싶다
보존하는 사람들을 보존하고 싶다
그렇게 보존되는 끝도 없는 사람들로
다른 생물 종도 능히 지낼 수 있을까
살아가며 살아가게 하는
살아가게 하면서 살아가는
생물들을 응원할 수 있다고
그러면서 나는 무엇을 할 수 있을까
지구에 최대한 해를 덜 끼치려고 노력하면서
조금이라도 쓰임과 효용이 되고 싶었는데
내 시간과 공간에서
한반도에서 내 몸과 마음에서
가끔 무언가를 끼적이는 사람이므로 해볼 수 있는 게 있을지
끼적인 걸 낭독해보며
낭독용 시를 써보며
해볼 수도 있을까
낭독해볼게
낭독해보자
생물 종 다양성에 대해서

–

여기서 해볼 수 있는 거뜬한 움직임이라는 듯이
멀리서 또 가까이서 들려오는 절박한 속삭임이라는 듯이
행동의 앞뒤라는 듯이
시가 쓰일 수 있다면 또 그렇게
낭독이 쓰일 수 있다면 또 그렇게
계속 행동하며
당차고 성실하게요
그래 그래
당차고 성실하게
보존되고 보존하려는 마음으로
보존하고 보존되려는 마음이라면
여기 생물들 속에서 생물들로 이루어지면서
멀리서 또 가까이서 그렇게
움직임을 계속 움직여볼 수 있고

인간의 어떤 감정과 장면

—

여러 날들에 대해

인간의 어떤 감정과 장면에 대해 떠올리면

뉘에게, 그럴수록 그 장면과 감정이 낯설어지고

그 하루

그 이틀

우연히 그게 설렘 그게 각오 그게 우연히 꺼림칙함 그게 상충 그게 스밈 우연히

뉘에게, 생활을 하다가 문득 이 환경이 낯익다는 생각이 들면

돌아오는 길에 블루베리와 양말과 순두부를 사기도 하고 그 형태와 색감을 새롭다는 듯 바라보기도 하고

그러면서 화폐를 오랫동안 써왔군, 생각해

화폐라는 게 나타나기도 하고 사라지기도 하면서 오랫동안 이어져 매개체라니 금융이라니

나도 화폐처럼 주고받으며 어느 손에 순간 닿았나 혹은 닿지 않는 형태로 어떻게든 이어졌나 하는 마음도 들고

뉘에게, 어떤 날들을 떠올릴 수 있을까

되비친다고

배어든다고

그게 놀라움 우연히 그게 결절 그게 섧음 우연히 그게 충일 그게 숙연함 우연히

–

훗날 생각날지도

동물원이 일터인 사람들에 대해

여러 양가감정을 느끼면서도 그곳의 인간으로서 할 수 있는 걸 최대한 감당하며 하는

맡아 기울이고 자연에 가깝게 궁리하고 자연으로 되돌려 보내고 또 남아 지내면서 다른 인간을 말리기도 하면서

야생동물은 스스로를 연민하지 않는다고도 감각하면서

그 하루

그 이틀

뉘에게, 잘 지내는지

나는 육교에서 숍에서 제방에서 공원에서 우리가 만든 공간을 지나가면서는 새삼 인간의 생활권이군, 생각해

휴일이 되어 또 다른 곳으로 가면 그 공간에 꽃이 있고 풀이 있고 잎이 있고 산책하는 동물이 있다고

어떤 동물은 인간을 피하지 않는군요 그게 낯설 때가 있는데 그들 중 어떤 동물은 직업이 있고

직업이 있는 개는 여러 인간의 생애를 마주 보며 이웃고 또 다른 인간들도 거쳐가는군요 그렇게 시간이 흐른다고

여러 날들 속에서

뉘에게, 잘 살아가고 있는지

그러니까 어느 권역을 헤매고 있을지 궁금해
어떤 감정과 장면으로 이루어져갈지
나는 여기 있어
흐르는 일부로서 성긴 그물을 던지자며 성긴 그물 속에서 포획되자며 여기
취주악과 봄바람에 대해 멀리 있는 사람이 되어 과거를 상기해보기도 하고
죽은 사람의 영상을 미래에 되감아 보기도 하면서
여기 있어
먹으면 그 동물이 된다는 인간의 발상에 순간 소스라치기도 하면서
뉘에게, 어떤 것들은 불현듯 한꺼번에 저기 지나가는 듯도 하고
나는 순간 의지를 지닌 채 실행하기도 또 물러서기도 하고
기억을 지피는 사람이 되기도 해
인간으로서 잘 살아간다는 게 무엇인지
뉘에게, 나는 안부를 물으며
여기 있어
여기 있다는 건 어떤 느낌인지, 문득 낯설어하며
주위를 둘러보았지

경주

기억할 만한 것은 무엇일지. 해질녘. 기억 사이로 어떤 세계는 하루 동안 내내 변해가고 있었는데. 어디선가 짚이 타고 있었고 짚 타는 냄새가 이리저리 번지고 있었고, 해질녘, 재로 남은 것들은 멀리 또 다른 곳에 있을 것 같았는데. 기억할 만한 건 무엇일까, 궁리하면서는 문득 내가 지금 기억 자체가 된다는 생각으로 여러 곳을 들락날락할 수도 있을 것 같았는데. 어느 순간 이 하루를 공간처럼 느끼게 되었고, 이 하루가 주어져 내가 할 수 있는 몸짓이 있고 몸짓으로 머무는 공간이 있어서, 후일 기억되는 나를 멀리서 상상해볼 수도 있을 것 같았고. 가을걷이가 곧 시작될 것 같아. 실바람이 불 것 같아. 도요새가 드나들 것 같아. 들판은 점점 넓어져가고 나도 점점 퍼져나가는 느낌이 들면서도, 여하튼 들러야 할 곳들을 떠올렸지. 오늘 하루 공간 사이 가야 할 곳. 둘러쌀 곳. 그렇게 나아가면서는 박물관으로 향해야 할 것 같다는 느낌이 들었다. 출토된 것들. 오랜 세월 드문드문 발굴하여 한데 모아놓은 것들. 가면서는 따라가듯 하고 싶었어. 무언가를 그냥 따라간다는 느낌으로, 그것의 흔적이 놓여 있는데 파다한데, 그 흔적이 귀띔하는구나, 그걸 나는 눈치채는구나 하는 마음으로 걸어가는구나, 횡단보도를 건너는구나, 건너가면서는 실제로 무언가가 시야에 들어와서 놀랐고. 검은 개. 터 주위를 걷는 개. 검은 개. 해질녘. 검은 개의 인상. 검은 개는 가고 더 멀리 가버려서 조약돌. 나는 눈으로 좇기만 하는데 이미 사라져가는 개. 검은 개. 기어코 따라가면 평생이 걸릴 것 같아 기이한 마음이 들 것 같아서 발길을 돌리고 결국 박물관에 도착해 나는 내내 바라보고 멈추어 사진 찍는 인간으로 시간을 보냈다. 그 사진을 나중에 보면서는 이날 나는 내 손이 저것을 향해 순간 멈춰 있었구나, 하고 생각할 것 같은데. 박물관을 떠나면서는 다른 흔적들을 찾아볼 것이라고 다짐했지. 조사단원처럼. 탐정처럼. 발견할 수 있다는 듯이 주의를 기울이며 걸어갈 것이다. 걸어서 그 걸음이 어떤 순간인지 어떤 기억인지 깨달아갈 거라고. 그러다 보니 나는 총冢 주위에 있었고, 해질녘, 구름이 움직이고 있었고 누가 살았는지 모르는 무덤 위로 온갖 동물들을 마주치는 것 같다. 그러니까 말, 소, 꿩, 개, 사슴을. 능선을 뛰어다니면서 모양을 이루는 그 모습을 바라보면서도 오묘한 능선이라고 생각하며 나는 따라가고 있었는데, 따라가는 나를 누군가 능선이라고 생각할 수도 있겠구나, 그렇게 생각하는 누군가를 또 다른 어떤 동물은 따라가며 능선이라고. 능선과 능선. 그 이어짐은 끝없이 나열될 것도 같은데. 그럼에도 끝이 있을까. 어떤 끝. 어떤 끝의 매듭과 종료. 정말로 정말로. 결말. 그러다가 나는 문득 인간 없음에 대해 상상을 하고. 단순히 상상을. 인간이 없는 세계에 대한 인간적 상상을. 인간이 없다면 어떤 것의 사후도 들여다보지 않을 텐데. 죽은 몸을 바라보지 않고, 구조물을 만들지 않고, 죽은 후 기리고 바치고 냉동하고 숙성하는 몸에 대해서 행위하지 않고. 그런 인간의 모습을 바라보는 인간도 없을 텐데. 나는 지금 기억이 될까, 생각하면서도 기억할 만한 건 무엇인지 떠올리며 아무 마을에나 들를 수 있을 것 같은데. 마

– 침 오는 버스를 타면서 종점에 있는 마을로 향하면서. 나는 버스를 타고 가면서는 좋았다. 정말로 정말로. 어딘가에 실려서 의탁해서 내가 모르는 장소에 도착해간다는, 내 눈을 지나가는 풍경에 맡기고 있다는 느낌이라서. 모든 게 놀랍다는 생각이 들어서. 그날들이 훌쩍 지나 지금이라는 게. 퇴사일과 전역일과 만기일과 입학식과…… 그러니까 그날을 손꼽아 기다려온 날이 있었는데 얼마 안 남았다고 좋아할 때가 있었는데, 그 시간이 훌쩍 지나 이제 그 모든 일이 과거라는 게 놀라워서, 기다리던 날들을 지나 그리워하고 있구나. 이 버스는 어디로 향하는지 모르고, 해질녘, 다만 안에서는 팔러 갔다가 돌아오는 할머니들이 있었고 대화하고 있었는데, 엿들으면서는 잠결 같아서 좋았고. 그때 내 몸을 떠나나, 설마 내 몸을 떠나나, 불쑥 생각이 들었는데. 하지만 무엇이? 무엇이 무엇을 떠나지? 그런 생각을 하는 내 모습이 어색하여 떨쳐냈는데, 그 후 바닷가가 있는 종점에 내려 실컷 걷다가 다시 그 버스를 타고 돌아오고 있었는데. 총으로 다시 돌아오면서는 둘레가 다 총이군, 느닷없이 총이 나타나고 어렴풋이 총 같다. 그 둘레에서는 낯선 단어들이 떠도는군. 그러니까 장육존상과 심초석, 해목, 추복, 녹유벼루, 사리갖춤 같은 것들. 옛날 사람들은 지금도 여기를 거닐겠구나. 오랜 시간 후에 나는 왔고, 추녀에 걸린 풍경처럼 숨소리를 내면서 나는 걸었고, 숨소리를 내는 나를 느껴보고 있는데. 보슬비가 내리기 시작하는 것 같다. 우산이 없어서 나는 처마 아래에 서 있다가 그쳤다 싶으면 또 그 앞의 처마로 걷고

–

비가 다시 내리면 머물러 있고, 이따금 그렇게 멈춤, 걸어감, 멈춤, 걸어감, 해질녘 속에 있었고, 나는 어떻게 될까, 나는 어떻게…… 잠깐 상상해보았고.

자전거를 타고 가는 사람을 타고 가는

자전거를 타고 가는 사람인가. 저기 나를 지나쳐서 가는 앞사람과 이내 나를 앞지를 뒷사람이 자전거를 타고 가는 사람들이야? 수변을 걸으며 나는 온통 주위에 둘러싸여 있는 듯도 한데, 자전거를 타고 가는 사람을 보면서는 무엇을 타고 가는가, 나도 모르게 중얼거려서 신기한 기분이 들었는데. 그러니까 무엇을 또 타나, 당연히 자전거를 타고 가는 사람이니 자전거뿐일 텐데도 하지만 뭐가 더 있지 않을까, 의심하면서 나는 빠르게 걸었지. 걸으며 더 빨리 걷는다면 자전거를 따라잡을 수 있나. 쉬지 않고 걷고 걷는데도 결국 따라잡은 건 나를 향해 오는 자전거뿐이려나. 나는 앞으로 뒤로 나아가고 뒤처지고 따라잡고 따라잡히는데 그러니 자전거를 타고 가는 사람을 타고 간다고 느껴지기도 하는데, 그것은 나인가. 자전거를 타고 가는 사람을 타고 가는 사람은 누구야? 내가 아니라면 자전거를 타고 가는 사람을 타고 가는 것은 바람이라고 물이라고 곤충이라고 수풀이라고 지붕이라고 타고 타고 타는 것들 사이에서 내가 있는 것 같다고.

자전거를 타고 가는 사람을 타고 가는 사람이 되어서는 문득 꿈이 떠오르지. 어젯밤 꾼 꿈이 아니라 그 전에 전에 꾼 꿈이 생각나 신기했는데, 연달아 꾼 꿈이라 꿈을 꾼 후 깨어났고, 그 생생한 꿈에 놀라서 주위 사람들에게 꿈의 내용을 묘사하며 어떤 말을 했는데 그마저 꿈이었는데, 정말로 정말로 깨어났을 때는 그 꿈들을 적어두었다가 나중에 주위 사람들에게 말해줘야겠다는 생각을 했는데. 하지만 다시 잠들어 못 적었고, 못 적어 아쉬워하는 그 모습까지 다시 꿈으로 꿀 수 있을까, 꿈의 연상과 못 꾼 꿈의 연상으로 나아갈 수 있을까, 그 꿈을 타볼 수 있을까. 타고 갈 수 있는 것들이 여럿이라 좋군요. 어디로 갈까요, 나는 자전거를 타고 가는 한 사람한테 물어보고. 어디로든요, 그 사람은 맞장구쳐주고.

그렇게 돌고 돌고 돌며 자전거를 타고 가는 사람을 타고 가면서는 수변 풍경을 바라보는데 이상한 기분도 들었지. 내가 엿보고 있다는 느낌이 들어서. 물과 물의 생물들에 대해. 이어져서 여하튼 살아가고 있는 삶을 엿본다는 기분이 수상해서. 내가 낯설군요, 나는 말하고. 그러니 이제 갈까요, 자전거를 타고 가는 한 사람은 재촉하고. 해 질 녘이 되었습니다. 이제 가야 할 때라서 다들 가고. 자전거를 타고 가는 한 사람은 집에 도착해 현관에 자전거를 세워두고. 자전거를 타고 가는 또 한 사람은 자전거를 반납한 후 집으로 걸어가고. 또 다른 사람은 자전거 안장에 앉아 땅에 발을 디딘 채 가는군요. 그 사람은 자전거를 탈 줄 모르는 사람이었나. 내내 그러고 있었나요? 나는 그 사람의 뒤를 잡고 밀어주면서 천천히 속도를 내는데, 그 사람은 나를 돌아보며 말하는군요. 꿈에서 나왔어요. 내가요? 정말요. 내가 무얼 하고 있었나요? 기억은 잘 안 나요. 하지만 나왔습니다. 그 사람은 자전거에서 내렸고, 내일 봐요. 그래요, 내일 봐요, 내일 봐요.

눈석임물

눈석임물. 눈이 흐를 때 녹아서 물. 물이 흐를 때 다시 겨울. 너는 머루를 쥐고 가는 사람. 너는 머루를 흘리는 사람. 눈석임물. 눈이 녹을 때 너는 이미지를 흘려보내는 사람. 이미지를 흘려보내면 물. 물이 녹으면 무엇이 되나. 물속의 물과 같이. 물속의 여름. 눈석임물. 물이 녹는다는 느낌을 간직한 채 너는 휘도는 사람인가. 너는 점점 묽어지는 사람인가. 눈석임물. 눈과 물 사이 망설임과 가다듬음. 여름. 대문 앞에 서성일 때. 가까이서 멀리 멀리서 가까이 가닿을 때. 눈석임물. 너는 머루를 건지는 사람. 너는 눈시울을 붉히는 사람. 윤슬이 비치며 흐를 때. 눈시울이 엷게 펴질 때. 너는 머루를 바라보는 사람. 너는 머루 속에 있는 사람.

인태운 | 시인. 2014년 『문예중앙』으로 등단.

끝없는 흐름과 멈춤의 양가감정

김언

안태운의 시를 얘기하자면 '유동성'이라는 단어가 먼저 떠오른다. 첫 시집 『감은 눈이 내 얼굴을』(민음사, 2016)과 두 번째 시집 『산책하는 사람에게』(문학과지성사, 2020)에서 공히 감지되는 것이 어떤 유동성의 세계이기 때문이다. "고인 물은 멈추지 않고 있다. …(중략)… 물은 멈추지 않고 있었고 탕은 그런 물을 보존하고 있었다. 그러자 시간은 흘러가고 있었다."(「탕으로」)에서 엿보이듯, 첫 시집에서는 물과 탕으로 대변되는 액체성과 고체성, 운동성과 고정성이 맞물리면서 뒤섞이는 세계를 보여준다면, 두 번째 시집에서는 제목에서 이미 짐작되듯이 '산책'이라는 키워드로 풍경의 흐름과 머무름, 의식의 걸음과 멈춤, 언어의 연속성과 단속성이 교차하는 동시에 합류되는 세계를 보여준다. 상반되는 이미지가 뒤섞이면서 결과적으로 유동하는 세계의 한가운데를 지나는 동시에 벗어날 수 없는 화자의 목소리가 첫 시집에 이어 두 번째 시집에서도 도드라지는 특징을 보인다면, 이후에 발표되는 시 역시 이러한 목소리의 연장선에서 살펴볼 수 있겠다.

> 눈석임물. 눈이 흐를 때 녹아서 물. 물이 흐를 때 다시 겨울. 너는 머루를 쥐고 가는 사람. 너는 머루를 흘리는 사람. 눈석임물. 눈이 녹을 때 너는 이미지를 흘려보내는 사람. 이미지를 흘려보내면 물. 물이 녹으면 무엇이 되나. 물속의 물과 같이. 물속의 여름. 눈석임물. 물이 녹는다는 느낌을 간직한 채 너는 휘도는 사람인가. 너는 점점 묽어지는 사람인가. 눈석임물. 눈과 물 사이 망설임과 가다듬음. 여름. 대문 앞에 서성일 때. 가까이서 멀리 멀리서 가까이 가닿을 때. 눈석임물. 너는 머루를 건지는 사람. 너는 눈시울을 붉히는 사람. 윤슬이 비치며 흐를 때. 눈시울이 엷게 펴질 때. 너는 머루를 바라보는 사람. 너는 머루 속에 있는 사람.
>
> —「눈석임물」 전문

시의 제목이기도 한 '눈석임물'은 사전적인 의미대로라면 "쌓인 눈이 속으로 녹아서 흐르는 물"(표준국어대사전)이다. 더 간략히는 '눈이 녹아서 흐르는 물'이라고 할 수 있는데, 인용한 시에서는 이를 통사적으로 살짝 비틀어서 받는다. "눈이 흐를 때 녹아서 물"이라는 어색한 구문으로 완성된 눈석임물에 대한 설명은, 문장 단위에서 자주 굴절을 보여온 안태운식의 발화에 익숙한 독자라면 그리 새삼스러울 일은 아니다. 오히려 익숙하게 눈여겨볼 것이 있다. '눈석임물'에 스며 있는 '눈'과 '물'이라는 두 사물의 연속성과 단절성이다. 눈은 일단 고체이다. 고체이되 무거움과 가벼움, 차가움과 따뜻함(들판에 하얀 이불처럼 덮인 눈을 떠올리자), 편안함과 불안함(들판의 그 하얀 이불은 또 언제 사라질지 모를 눈이기도 하다)이 공존하는 고체. 그렇다면 물은? 물 역시 눈만큼이나 안정감을 주는 동시에 불안감을 주며, 평화로움과 함께 난폭함을 숨기고 있는 사물이다. 눈과 물에 스며 있는 동시에 상충하고 있는 각각의 속성들이 또한데 섞여서 흐르는 것이 '눈석임물'이라면, 눈에 대해서도 물에 대해서도 나아가 눈석임물에 대해서도 이 시의 화자는 "여러 양가감정"(「인간의 어떤 감정과 장면」)으로 말할 수밖에 없다. 단순히 고체성과 액체성, 운동성과 고정성으로 이분화되는 세계가 아니라 서로가 서로를 잠식하면서 하나도 둘도 아닌 상태로 흐르는 세계. 그것이 「눈석임물」에 담긴 세계이자 안태운의 시가 진작부터 심화해온 세계라고 할 때, 그러한 세계의 끝에는 뭐가 있을까? 어떤 궁극의 상태가 기다리고 있을까? 이런 질문이 남는다.

눈석임물이 눈에서 물로 옮겨가는 과정에 놓인다면 "물이 녹으면 무엇이 되나"('물이 마르면 무엇이 되나'가 아니다)를 동반하는 물에서 물 이후로 이행하는 과정은 결과적으로 "물속의 물"이라는 동어반복적인 상태를 벗어나기 힘들다. 기껏해야 "물속의 여름"이라는 색다른 계절감을 동반하는 정도에 그치는 동어반복이 안태운의 시에서는 드물지 않게 발견된다. "살아가며 살아가게 하는/ 살아가게 하면서 살아가는" 동어반복적 세계에서 "계속 다짐을 다짐하고" "움직임을 계속 움직여"보는 동어반복적 행위는 필연적이다. 도무지 "혜량"(「생물 종 다양성 낭독용 시」)할 수 없는 세계에서 도무지 혜량할 수 없는 인식과 언어가 뒤따르는 것과 같은 이치에서 필연적이다. 함부로 혜량할 수도 계량화할 수도 없는 시공간에서 주체와 대상과 언어가 한 무더기로 섞여서 전진하는 그 끝에는 과연 뭐가 있을까? 어떤 종말의 상태가 기다리고 있을까? "물속의 물"이 동어반복이라면, 그러한 동어반복을 휘돌아서 빠져나가는 곳에는 "물속의 물"조차도 희미해지는 어떤 상태가 있지 않을까. 그 상태는 함부로 지칭할 수 없지만, 이미지에 기대어서 상상할 수는 있다. 가령 "점점 묽어지는 사람"과도 같은 상태. 그래서 "들판은 점점 넓어져가고 나도 점점 퍼져나가는 느낌"으로 "내 몸을 떠나나, 설마 내 몸을 떠나나"(「경주」) 싶은 생각이 실현되는 상태. 주체도 대상도, 시간도 공간도 모두 희미해지다가 끝내는 사라지는 상태가 안태운 시의 화자가 내다보는 유동적인 세계의 끝을 이룬다면, 남는 질문은 하나가 더 있다. 바로 '지금'이다.

이 순간의 나와 너와 우리를 이루는 현실의 장면 하나하나가 곧바로 현재를 이루고 곧이어 과거를 이루고 또 언젠가 기억을 이룰 테지만, 나는 물론이고 누구도 쉼 없이 흘러가는 중인 지금을 붙잡을 수는 없다. 뿐인가. 쉼 없이 흘러가는 대상인 건 나도 마찬가지이므로, 나 역시 포착할 수 없는 무언가가 되어 끝없이 달아나는 중이다. "나는 여기 있"지만 "흐르는 일부로서" 있으며, "성긴 그물을 던지자며 성긴 그물 속에서 포획되자며" 발버둥 쳐봤자 남는 것은 "여기 있다는 건 어떤 느낌인지, 문득 낯설어하며/ 주위를 둘러보"는 한 사람의 어리둥절한 표정이다. 이런 표정 앞에선 "인간으로서 잘 살아간다는 게 무엇인지"(「인간의 어떤 감정과 장면」)와 같은 윤리적인 질문도, "나는 어떻게 될까, 나는 어떻게……"와 같은 실존적인 질문도 모두 부질없어지거나 대책 없어지는 지경에 놓인다. 다만 "무언가를 그냥 따라간다는 느낌으로"(「경주」) 따라가고 흘러가는 상태만 남아 간신히 주체를 이루고 대상을 이룬다. 와중에도 주체는 대상을 본다. 주체는 대상을 보면서 대상을 떠나고 대상을 떠나면서 대상에 갇히는 운동을 쉼 없이 반복한다. "너는 머루를 바라보는 사람. 너는 머루 속에 있는 사람"처럼 세계를 바라보는 동시에 세계에 속해 있는 자의 무수한 "망설임과 가다듬음"을 정치하게 설명하기 위해서도, 안태운 시의 화자가 당면해왔던 운동성과 고정성이 교차하는 '양가감정'의 발원지를 조금 더 들여다볼 필요가 있다. 연속성과 단속성을 함께 지니는 언어에 대한 궁극적인 질문과도 연동하는 그 문제에 대해서는 차후의 숙제로 남겨둔다.詩

김언 | 시인. 본지 편집위원. 1998년 『시와사상』 등단. 시집 『숨쉬는 무덤』 『거인』 『소설을 쓰자』 『모두가 움직인다』 『한 문장』 『너의 알다가도 모를 마음』 『백지에게』, 산문집 『누구나 가슴에 문장이 있다』, 시론집 『시는 이별에 대해서 말하지 않는다』 출간.

2

2022년 제23회 현대시작품상 수상자 특집

한국의 시인들이 가장 수여하기 원하고 독자들이 가장 권위를 인정하는 〈현대시작품상〉은 2021년부터 운영 방식 및 절차를 업그레이드시키고 상금도 천만 원으로 상향 조정하여 명실상부 최고의 시 문학상으로 발전적인 변화를 도모했다.

〈현대시작품상〉은 2021년부터 기존에 시행해 왔던 예심 절차 및 방식을 유지하면서 1차로 진행했던 본심절차 및 방식을 2차로 변경하여 보다 복합적이고 다층적인 심사 방식을 채택하였다. 예심 절차와 방식은 지난 한 해 동안 편집회의를 통해 매달 4편의 추천작을 선정하여 『현대시』 지면에 후보작으로 공개하는 방식을 유지하였다. 이러한 예심의 절차 및 방식은 〈현대시작품상〉의 심사를 1년 내내 진행하면서 그 과정을 독자들과 함께 투명하고 공정하게 운영하기 위함이다.

본심 절차와 방식은 본지 주간 및 심사위원들로 이루어진 4명의 본심위원들이 1차와 2차로 단계적인 심사를 진행하였다. 1차 본심은 예심을 거친 후보작들 중에서 본심위원들이 각각 8명의 시인의 작품을 투표로 추천하여 취합하였고, 이를 기초로 논의와 심의 및 투표를 거쳐 총 8명의 시인의 작품을 최종 본심 대상작으로 선정하였다. 본심위원들이 각각 8명의 시인의 작품을 추천할 때 한국 시의 현재적 전체성을 포괄하기 위해 시력詩歷을 1989년까지 등단한 시인, 1990년에서 2009년까지 등단한 시인, 2010년 이후 등단한 시인 등으로 나누고 선정 비율을 안배하였다. 이는 우리 시단의 균형 있는 발전을 위함이다. 2차 본심은 자유 토론, 심층 토론, 투표 등을 병행하면서 공정하고 엄격하게 진행하여 가장 작품성이 뛰어난 수상작 및 수상자를 선정하였다

1차 본심은 2022년 1월 4일(화) 오후 3시에 비대면 방식인 줌 화상회의로 개최되었다. 이상의 이메일로 추천된 1차 본심 대상자 및 작품을 기초로 1차 본심을 진행하였다. 다각도의 논의와 다층적인 심의 및 투표까지 가는 장시간의 심사를 진행한 결과 1차 본심을 통과한 총 8명의 최종 본심 대상자를 전원일치 합의

에 의해 다음과 같이 선정하였다.

〈제23회 현대시작품상 최종 본심 대상 시인〉

기혁, 김중일, 안태운, 유계영, 이현승, 임승유, 최문자. 황인숙(가나다순)

본심위원들은 합의에 의해 선정한 총 8명의 최종 본심 대상자 및 작품을 나누어 맡아서 『현대시』 2월호에 황인숙, 김중일, 이현승, 유계영 시인에 대한 작품평 및 해설을 게재하고, 3월호에 최문자, 기혁, 임승유, 안태운 시인에 대한 작품평 및 해설을 게재하였다.

이를 토대로 2022년 3월 10일(목) 오후 6시 30분에 2차 본심이 현대시 사무실에서 진행되었다. 본심위원들은 본심 대상자인 여덟 명의 시인들 중 최종 수상자를 결정하기 위해 오랜 시간 동안 시인들의 시적 특성 및 장단점, 작년 활동과 문학적 성과 등에 대해 자유롭게 의견을 주고받았다. 다양한 의견들이 오고갔고, 결국 김중일, 임승유, 유계영 시인이 마지막까지 논의가 되었다. 그 과정에서 심도 깊은 논의 끝에 김중일 시인을 올해의 수상자로 결정하는 데 의견이 모아졌다.

김중일 시인은 1977년 서울에서 태어나 2002년 『동아일보』 신춘문예에 당선되며 작품활동을 시작했다. 시집 『국경꽃집』 『아무튼 씨 미안해요』 『내가 살아갈 사람』 『가슴에서 사슴까지』 『유령시인』 『만약 우리의 시 속에 아침이 오지 않는다면』 등이 있다. 신동엽문학상, 김구용시문학상을 수상하였다. 김중일 시인의 시는 어떤 시적 수사도 비유도 끝내는 봉착할 수밖에 없는 허무의 지경을 허무와 맞먹는 다른 경지의 언어로 보여주며, 개인적인 이유건 한국 사회에 충격을 준 사회적 사건이건 그를 사로잡은 쉬이 사라지지 않는 슬픔을 시인이라는 존재에 대한 사유로 연결시키고 있다.

심사위원들은 최종 합의 끝에 김중일 시인을 2022년 제23회 〈현대시작품상〉 수상자로 선정하였다.

정리 : 편집부

유령의 고백, 공백의 시간, 주객 관계의 무화

오형엽

2022년 제23회 〈현대시작품상〉 심사는 지난 해부터 새롭게 업그레이드된 운영 방식 및 절차에 따라 예심 및 두 차례의 본심을 진행했다. 예심 절차를 거친 작품들에 대해 4명의 본심위원들이 각각 8명씩 추천한 결과를 토대로 1차 본심을 통해 기혁, 김중일, 안태운, 유계영, 이현승, 임승유, 최문자, 황인숙 등 총 8명의 2차 본심 대상자를 전원 합의에 의해 선정했다. 이후 다시 일정을 잡아 진행된 2차 본심에서 본심위원들은 다각도의 심도 깊은 논의를 통해 최종 본심 수상자로 김중일 시인을 선정하는 데 합의했다.

김중일 최근 시의 주제적 측면은 부성의 세계에서 벗어나 과거의 생명이 수렴되고 미래의 죽음이 소급되는 애도의 시간을 통해 폐허와 슬픔을 견디고, 삶과 죽음의 경계를 넘나드는 유령 화자의 독백을 통해 망각에 저항하여 잊히려는 것에 대한 끊임없는 복원을 시도한다. 그리고 김중일 최근 시의 형상화 방식적 측면은 '투명인간' 혹은 '유령'의 위상을 가지는 시적 주체, 1인칭 화자의 내적 고백을 중심으로 전개되는 시적 어법, 육체적 · 공간적 측면에서 주체와 객체의 관계를 무화시키고 정신적 · 시간적 측면에서 나르시소스적 자아와 타나토스적 허무를 종합하는 시적 기법, 과거 · 현재 · 미래가 소거되는 공백의 시간 구조 등의 특이성을 보여준다. 이러한 미학적 특이성들을 수렴하고 결집하면서 관계의 역학을 성립시키는 구조화 원리는 주객 관계의 무화라고 간주할 수 있다. 김중일이 2021년에 발표한 시들은 이러한 미학적 특이성과 구조화 원리를 더 폭넓게 확장하고 깊이 심화하는 양상을 보여준다. 김중일 시인의 제23 현대시작품상 수상을 진심으로 축하드린다.詩

괄호 하나를 새로 열듯이, 다시 파고들듯이

김언

김중일 시인을 떠올리면 '여일하다'는 말이 먼저 생각난다. '여일하다'는 '꾸준하다'의 다른 말일 터, 실제로 2002년 데뷔 이후 평균 4년 간격으로 5권의 시집을, 그것도 한 권을 제외하고는 모두 같은 출판사에서 꾸준히 내왔다. 꾸준하다고 해서 제자리걸음을 보이는 것도 아니다. 시집마다 마치 괄호 하나를 새로 열듯이 시 세계를 확장하는 동시에 괄호 하나를 다시 파고들듯이 사유를 심화하는 궤적을 꾸준히 보여온 시인. 김중일의 시를 제대로 논하기 위해서도 지난 20년간 누적되어온 그의 시를 되짚어서 읽는 일이 뒤따라야 마땅하겠으나, 여기서는 편의상 시 한 편을 중심으로 얘기하자. 올해 현대시작품상 수상작 중 하나인 「자꾸 생각나는 괄호」라는 시이다. 처음 읽을 때는 무심코 넘겼는데, 이상하게 잔상이 남아서 여기까지 따라왔다.

> 거울을 봐, 눈, 눈동자, 눈썹, 코, 콧구멍, 콧방울, 입, 입술, 혀, 귀, 귓구멍, 귓바퀴
> 얼굴이라는 괄호 속의 괄호들.
> 그 괄호들 속의 괄호들이 겹겹이 가득해.
> 울고 웃어봐, 이목구비에 매달린 주름까지도 다 괄호투성이야.
>
> —「자꾸 생각나는 괄호」 부분

여기 한 사람의 얼굴이 있다. 거울 속에 든 얼굴. 얼굴이니까 눈도 있고 코도 있고 입도 있고 귀도 있을 것이다. 더 세부적으로 눈동자도 있고 콧구멍도 있고 입술도 있고 귓구멍도 있을 것이다. 더 세부적으로는 인간의 얼굴을 구성하는 자잘한 기관을 낱낱이 거론할 수도 있는데, 기관을 지칭하는 용어가 따로 없다면 없는 대로 짚어볼 수 있는 어떤 요소랄지 현상이 겹겹이 더 있을 것이다.

한 겹의 얼굴 안에 겹겹의 구조가 쌓여 있는 상태를 위 시의 화자는 '괄호'라는 용어로 되받아서 얘기한다. "괄호들 속의 괄호들이 겹겹이 가득"한 것이 얼굴이기에 해가 갈수록 늘어가는 얼굴의 주름도 충분히 괄호로 보일 법하다. 이처럼 겹겹으로 된 괄호의 구조에다가 시간이 흐르면서 괄호의 자국까지 더해지는 얼굴은 그 자체 숱한 질문과 의문의 겹을 거느린 괄호라고 할 수 있다. 딱히 무언가를 감추고 있어서라기보다는 얼굴 자체가 이미 신비고 비밀이고 괄호투성이의 무엇이라고 해도 좋겠다. 당연히 얼굴에서 비롯된 '괄호'라는 용어를 '물음표'로 바꿔 표기해도 이상할 것이 없겠다.("괄호의 또 다른 표기는 물음표가 아닐까", 「자꾸 생각나는 괄호」)

이때 괄호가 품고 있는 물음표의 의미는 얼굴에만 국한되지 않는다. "사람의 몸은 괄호들의 총합"이라는 명제를 넘어 "지구라는 괄호 속의 무수한 괄호"(「자꾸 생각나는 괄호」)라는 대목에 이르면, 우리에게 닿는 세계의 모든 면면이 새삼 괄호투성이이자 의문투성이로 재편되는 것이다. 사실상 우리를 둘러싸고 있는 삶의 모든 국면이 괄호 처진 상태로 다가오고 또 지나가는 것이다. 살아가면서 우리가 티끌 하나의 회의도 없이 확신할 수 있는 대상이 얼마나 될까? 있다면 있는 그조차도 다시 회의의 대상으로 부쳐지면서 괄호가 쳐지는 것을 얼마나 많이 목격하는가? 인식 주체를 비롯하여 모든 대상이 괄호 앞에서 자유롭지 못한 상황은, 괄호를 벗기고 나가도 또 다른 괄호가 기다리고 있고, 괄호를 벗기고 들어가도 또 다른 괄호가 대기하고 있는 상황과 맞물린다. 의문투성이 세상으로부터 해방되고 싶어도 마지막까지 따라붙는 것이 괄호이며, 의문투성이 대상을 남김없이 꿰뚫어 보고 싶어도 끝까지 남는 것이 괄호인 셈이다.

살아 있는 동안 벗어날 수도 걷어낼 수도 없는 이 괄호라는 장막이 유일하게 확신을 주는 것은 우리가 괄호의 세상에 내던져진 존재라는 사실이다. 태어나는 순간부터 혹은 의식이 생기는 순간부터 작동하는 괄호의 논리는 우리가 죽을 때까지 반복해서 따라붙는다. "죽음이란, 죽은 사람들에 대한 생각이 혈액처럼 다 빠져나온 것이 아닐까?"(「자꾸 생각나는 괄호」)에서 환기되듯, 모든 의식이 다 빠져나가고 나서야 멈추는 괄호의 세계에서 우리는 죽을 때까지 자유롭지 못할 것이다.

삶이 종결되고서야 비로소 그치는 것이 괄호의 세계라면, 우리가 매 순간 괄호를 닫듯이 종결하는 수많은 일이 결과적으로 미봉책에 불과하다는 사실을 인정하게 된다. 시도 마찬가지일 것이다. 어찌어찌 한 편의 시를 완성했다고 하는 것이 임시로 혹은 일시적으로 괄호를 닫는 행위에 불과하다는 사실을 인정하는 순간, 역으로 시는 무한정 늘어날 수도 유예될 수도 있는 무엇이 된다. 만약 우리의 삶과 매 순간 동기화되는 시가 가능하다면 삶이 종결될 때까지 끝나지 않는 시의 언어 또한 충분히 가능하겠지만, 어떤 일이든 임시로라도 매듭짓고 지나가야 하는 것이 삶이듯이 시 역시 애써 종결하는 방식으로 한 편 한 편을 채워나가는지도 모르겠다.

괄호처럼 임시에 가까운 종결 방식은 그대로 김중일 시의 발화 방식과 연결해서 생각할 거리를 남긴다. 그의 시는 발화의 시작점에 무엇이 놓이든 그것을 부연하는 방식으로 시상을 심화시켜 나간다. 하나의 대상에 대해 마치 괄호를 열고 새롭게 장면을 추가하는 작업과 지긋이 대상을 파고드는 작업을 동시에 수행하는 것이다. 원심력과 구심력이 절묘하게 균형을 이루는 이러한 화법은 그의 시를 아주 길지도 아주 짧지도 않은 적절한 분량의 발화로 이끄는 역할을 한다. 적당히 긴 그의 시에서 건져지는 생각거리는 그러나 적당한 분량으로 만족할 수 없는 여분의 의미를 자꾸 남긴다. 괄호가 또 다른 괄호를 불러오듯이 생각은 또 다른 생각을 불러오면서 더 많은 말을 남기는 것이다.

도무지 그칠 수도 없고 끝날 수도 없는 삶에 대한 생각이자 시에 대한 사유가 끝내는 허망한 귀결을 보일지라도 전진을 계속해야 하는 언어. 그것이 김중일 시의 언어라면, 아래 시에서 길고 긴 수식구 다음에 생략된 것이 무엇인지도 쉬이 짐작이 간다.

> 세상에 존재하는 표백제로는 아무리 빨아도 결코 다 빠지지 않는 슬픔의 때가 미량이나마 껴 있어서, 결국 죽을 때까지 제대로 입어보지도 못하고 계속 다시 빨아야 하는.
>
> 빨다가 갑자기 눈물이 툭 터질 정도로 허무하기가 그 어떤 시적 수사로도 비유할 수 없는.
>
> —「가장 큰 직업으로서의 시인」 부분

어떤 시적 수사도 비유도 끝내는 봉착할 수밖에 없는 허무의 지경을 허무와 맞먹는 다른 경지의 언어로 밀고 나가는 자리에 시인이 있다면, 그에 충분히 부응하는 시인으로서 김중일이 있다는 사실을 이번 현대시작품상 수상으로 거듭 증명이 되었기를 바란다. 모처럼 여일하게 불러보는 이름, 김중일 시인께 진심으로 축하를 드린다.詩

시 하나하나를 가누는 슬픔

조강석

현대시 작품상 최종 후보에 오른 시인들의 작품을 읽으면서 최근 젊은 시인들의 일련의 시가 "양식사적 우울"의 표징이 되고 있다고 했던 말을 회수해야 할지를 고민했다. 적은 표본이라 확언할 수는 없지만 "양식사적 우울"은 어쩌면 기나긴 전도를 앞에 둔 이들에게만 통절한 정념일까? 다소 긴 도정을 걸어오면서 성과도, 후과도 남겼을 한 세대에게는 우울도 한가해보이는 모양이다. 김중일 시인이 여태 거기 서 있다. 한때 출퇴근하는 일상 속에서 '실감나는' 환상을 툭툭 건져내던 시인이 김중일이었다. 불면증자의 고투를 솔직하고 설절하게 토로하던 것 역시 김중일이었다. 그리고 어쩌면 대화를 건네는 형식으로 쓰인 일련의 근작시에서 대화의 상대로 지목된 '너' 역시 김중일일지 모른다. 대개 이 대화는 일상에서 환상을 제거한 이의 어리둥절이 아니라 환상에서 일상을 제거한 이의 쨍한 명료함을 보여주고 있다. 왠지 모를 슬픔이 배어나는 이 대화의 핵심은, 그런데, 시이다. 이것은 "양식사적 우울"과 어떻게 다른가? 엔드게임에 진입할 수 있는 처지가 아니라는 자각 위에 서 있다는 점에서 이 슬픔은 양식사가 아니라 시 하나하나를 가누는 슬픔이다. 그는 "시를 믿고 어떻게 살아가나"(김광균, 「노신」)를 묻는 대신 "시 밖에서 우리는 생면부지다"(「만약 우리의 시 속에 아침이 오지 않는다면-'시'라는 침실」)라고 말한다. 한때 나는 그의 시에 '불면증자의 언어에 감광된 실재계'라는 형용을 사

용한 적이 있다. 이제 시가 그의 침실이 된 모양이다. 시와 슬픔 사이에 꿈이 있다. 수상을 축하한다.詩

시에 대한 시의 애도

안지영

김중일 시인은 꽤 오랫동안 애도에 대한 시를 써 왔다. 개인적인 이유건 한국 사회에 충격을 준 사회적 사건이나 점점 외면을 당하고 있는 시의 운명에 대한 상실감 때문이건 그를 사로잡은 슬픔은 쉬이 사라지지 않았다. 더구나 이번 수상작에서 이는 시인이라는 존재에 대한 사유로 연결되고 있다. 시인이란 "슬픔을 나누고 허무는" "가장 큰 직업"(―「가장 큰 직업으로서의 시인」)을 가진 사람으로, 시를 짓는 일은 삶이라는 숟가락을 쥐고 슬픔이라는 밥을 벌어 먹고사는 일이 된 것이다. 독자라는 존재에 대한 발견과 더불어 메타시로서의 성격이 두드러진 이번 수상작에는 슬픔을 시인의 존재론으로 승화시키려는 시도가 나타난다. 슬픔의 안에 이미 슬픔을 넘어설 힘으로서의 사랑이 내재되어 있다는 믿음을 그는 일관성 있게 설득하고 있다.

저마다의 상실에는 대상에 대한 사랑이 깃들어 있다. 지극히 사랑하지 않는다면 애도가 그토록 오래 지속될 이유도 없을 터이다. 이렇게 슬픔에 깃든 막막한 사랑의 의미를 깨닫게 되는 순간, "지금까지 슬펐던 것이 그다지 슬프지 않"게 되고, "그래서 더욱 마음껏 슬퍼해도 좋은 날"(―「좋은 날을 훔치다」)을 맞게 된다. 상실에 대한 슬픔을 사랑의 언어로 번역할 수 있다면, 눈물을 줄줄 흘리다가도 그것이 상실한 대상에 대한 조금 뒤늦은 고백일 뿐이라는 사실에 이제 막 사랑을 시작한 사람처럼 가슴이 두근거리기도 할 것이다. 상실은 그저 사라짐일 뿐만이 아니라 "미래처럼 밀물처럼"(—「만약 우리의 시 속에 아침이 오지 않는다면」) 우리의 피로를 잠재우기 위해 밀려드는 반짝이는 파도와 같은 것이기도 하다.

이번 기회에 그의 시집들을 돌아보니 그의 시는 여전히 해야 할 대사가 잔뜩 남아 있는데 자꾸 무대에서 내려오라는 지시를 받은 배우와 같이 난처한 표정을 짓고 있었다. 시인은 냉소와 청승 사이의 어디쯤에서 멸종해버린 공룡과도 같은 존재가 되어 버린 시에 대한 상실감을 토로하며, 자신은 언제나 시를 위해 순교할 준비가 되어 있다는 식의 순결한 자세를 고수해 왔다. 그는 누구와 싸우고 있는지도 알 수 없게 된, 싸울 적조차 사라져버린 세계의 한복판에서 격렬하게 패배하지도 못하고 그렇다고 싸움을 그만두지도 못한 채 허공을 향해 주먹을 휘두르는 외롭고도 처절한 싸움을 계속해온 것인지 모른다. 치기 어린 청년의 반항기는 서서히 잦아들고, 시가 처한 부당한 상황에 항의하느라 고공에서 내려오지 못하고 파업의 언어를 내뱉어왔던 시인은 슬픔의 단련을 거쳐 이제 시의 본질에 대한 고유한 사유를 펼치고 있다. 이번 수상작들이 막막하면서도 아름답게 읽히는 것은 그가 지나온 시간을 켜켜이 채우고 있는 눈물의 강도 덕분일 터이다.

텅 비어 있는 듯이 보이지만 사실은 "하나 빠져 나간 것 없이 고여 있"(「자꾸 생각나는 괄호」)는 슬픔을 쓰기 위해 시인은 존재한다. 아무리 의미를 대상에 동여매려고 해도 그렇게 되지 않는다는 것을 시인만큼 잘 아는 사람은 없을 테니 말이다. 죽음에, 상실에, 패배에 괄호 치는 법을 알려주며 시인은 우리가 무수한 슬픔에 대처할 수 있도록 돕는다. 슬픔의 추를 매달아 시를 끝이 보이지 않는 심해로 내려보내는 시인의 손끝은 얼마나 떨렸을까. 시류에 휩쓸리지 않고 자기만의 목소리를 발견해내기 위해 애써온 시인의 노력이 있었기에 지금의 시가 우리 앞에 도래할 수 있었으리라 생각한다. 시인의 고단한 행보에 조금이나마 힘이 되기를 바라며 제23회 현대시 작품상 수상을 알린다. 김중일 시인께 심심한 축하를 보낸다.詩

● 수상작

김중일

_가장 큰 직업으로서의 시인
_좋은 날을 훔치다
_만약 우리의 시 속에 아침이 오지 않는다면
_자꾸 생각나는 괄호
_햇살
_눈물의 형태
_금연에 대한 우리의 약속
_너와 환절기와 나
_내일 지구에 비가 오고 멸망하여도 한 그루의
_오늘은 없는 색

가장 큰 직업으로서의 시인 외 9편

— 아무도 접속하지 않은 채널의 접속을 기다리며 하는 상념

\- 지금 만나러 가는 너의 직업은 시인이라고 한다.

시인도 직업일까, 한 번쯤은 물어보고 싶은 마음을 알고 있는 듯 너는 묻지도 않았는데 만날 때마다 대답한다.

시인은 가장 큰 직업이다.

마치 스스로 드는 미심쩍음에게 하는 대답인 것처럼.

나는 그것을 다짐이라고 생각해도 좋을까.

'가장 큰 직업'이란 말이 좀 걸린다.

그 말은 어쩌면 직업 따위가 아니라는 뜻이 아닐까, 하는 생각에 이른 건 최근의 일이다.

'가장 큰 직업'이란 당최……

무엇일까, 식상하게 삶이나 죽음 같은 것만 아니면 나는 상관없다.

열심히 노동하여 집을 지으면 폭풍이 와도 튼튼한 집이 남지만

열심히 밤새 지은 '시'라는 채널의 관건은

지극히 개인적으로, 얼마나 큰 슬픔을 나누고 허무는가에 달렸다.

아침 해와 함께 흔적 없이 증발하는

실체가 남지 않는 일을 직업이라고 할 수 있을까.

아무래도 '가장 큰 직업'은 직업이 아니라는 뜻이 분명하다.

무작위로 배정되는 한 편의 채널에 접속을 기다리며 들었던 상념들을 서로 나누며

빨래 개기를 마친 너는 노동의 대가로 배달 음식을 시킨다.

휴대폰을 집어 들면서 함께 있는 공간을 둘러보며 한마디 덧붙인다.

이런 수십 개의 채널을 모아놓은 한 권의 시집은 말이야

다림질까지 한 듯 기막히게 반듯이 개어놓은 시인의 속옷 같단 말이야.

세상에 존재하는 표백제로는 아무리 빨아도 결코 다 빠지지 않는 슬픔의 때가 미량이나마 껴 있어서, 결국 죽을 때까지 제대로 입어보지도 못하고 계속 다시 빨아야 하는.

빨다가 갑자기 눈물이 툭 터질 정도로 허무하기가 그 어떤 시적 수사로도 비유할 수 없는.

좋은 날을 훔치다

— '시'라는 식당

우리는 한날한시 한 유령시인의 애도 시 속에서 우연히 만나 사랑하게 된 사이.

주방에서 나는 연신 눈물을 훔치며 콧노래를 부른다.

오늘은 지금까지 슬펐던 것이 그다지 슬프지 않은 날이다, 그래서 더욱 마음껏 슬퍼해도 좋은 날이다.

콧노래를 부르다가 불현듯 얼굴을 약간 찡그린다.

얼굴 안에서 밖으로 갑자기 쏟아지려는 물풍선을 급히 붙잡듯 얼굴의 주름은 순간 수축한다.

"인간의 얼굴은 감정의 괄약근이다. 그것은 시도 때도 없이 자주 풀려서 문제"라며 나는 양파를 썰면서, 네가 불편해할까 봐 너스레를 떤다.

오늘, 아직 슬프지 않은 나는, 미리 눈물을 훔친다.

내 안에 그렇게 많이 고여 있어도, 눈물은 한 번도 내 것이 아니었다.

내 것인 적이 없다, 눈물은 너의 것도 살아 있는 누구의 것도 아니다.

살아 있는 이들 중에는 애초에 눈물의 주인이 없다.

다시 못 쓰게, 감정에 뒤섞여 얼굴 밖으로 결로처럼 맺힌 후에야

결로를 맨손으로 훔치고 창밖의 풍경을 살피듯, 비로소 나는 내 안에 고여 있던 내 것이 아니었던 눈물을 만진다.

내 안팎의 온도 차로 발생한 축축하고 미지근한

제 가치를 잃은 눈물을 좀 훔친다고 해서 탓할 사람이 있을 리도 없다.

몸은 이기적인 유전자를 담는 그릇에 불과하다,는 건 성긴 학설이다.

정확히 몸은 그 누구의 것도 아닌 '눈물'을 담는 그릇이다.

때때로 온몸이 주먹만 한 심장 속으로 뛰어드는 듯한 고통에 그릇이 흔들리는 만큼 눈물이 흘러넘칠 뿐이다.

그릇은 하나도 잘못이 없다 그러니 그릇은 슬퍼할 자격이 없다.

세월 따라 주름이 많이 간 그릇이 깨지기 전에 '눈물'이 다른 그릇으로 매일 조금씩 누구도 눈치채지 못하게 잘 옮겨지면 된다.

휴일 늦은 저녁, 눈물이 듬뿍 들어간 나의 맛없는 요리를 맛있게 떠먹으려 너는 한참 전부터 커다란 숟가락을 들고 오직 사랑의 힘으로만 설명될 수 있는 시간을 기다리고 있다.

만약 우리의 시 속에 아침이 오지 않는다면

— '시'라는 침실

—

내 손가락을 만지작거린다. 팔베개를 한 팔이 저려온다. 감각이 사라진다. 네가 눈 감고 내 손가락을 만지작거리는 걸 하릴없이 바라본다. 마치 전생처럼 썰물처럼 내 손가락의 감각이 사라진다. 그리고 깜박깜박 잠이 밀려온다, 미래처럼 밀물처럼. 우리는 함께 잠긴다.

책장을 넘기듯 등이 찰나 꺼졌다 켜진다.

가수면 상태에서 너의 목소리가 환청처럼 들려온다. 어느새 깼는지 아니면 잠들지 않았는지, 내게 하는 말인지 혼잣말인지. 홑이불 같은 너의 목소리를 끌어 덮는다.

전 세계 해변의 면적은 어느 정도일까?

최소한 그 면적의 합은 서울보다 클 거야.

서울이 다 뭐야, 최소한 우리나라보다는 클 거야.

우리나라가 뭐야, 웬만큼 큰 나라보다는 클 거야.

적어도 우리가 만나고 있는 이 '시 세계'에서만큼은 그 모든 나라를 다 합한 것보다 클 거야.

드넓은 해변의 모래.

지난여름 내가 한쪽 발로 절뚝이며 모래 위에 쓴 너의 이름.

해변의 모래는 죽은 이들이 미처 못 한 말들이 해와 달빛에 그을려 부스러진 잔해들이야.

—

귓가에 속삭이던 네가 갑자기 벌떡 일어나 라텍스 침대 위를 눈을 감고 걷는다.

한껏 달아오른 해변의 모래에 네 발목까지 다리가 푹푹 빠진다.

죽은 이들의 화장된 말들 속에 발이 푹푹 빠진다.

네 콧등에 금세 땀이 송골송골 맺힌다.

무슨 소리가 좀 들려?

내가 걱정스레 묻는다.

한없이 밤이 이어지고 아침이 오지 않는다면,

세상 약속의 절반 이상은 사라질 텐데.

지키지 않아도 아무도 뭐라고 하지 않을 텐데.

내일 또 보자,라는 말을

못 지킬 약속으로 남기는 일은 다시 없을 텐데.

밤의 벌어진 검은 입

밤이 창문들을 벌리고 도시가 떠나가라 울기 시작하는 시간.

갓난아기처럼 밤이 울면서 기어 오고, 창문마다 둥근달이 우유병처럼 꽂힌다.

되레 밤을 꿀꺽꿀꺽 삼키며 세상에 흘러넘치는 흰 구름들.

책장을 덮듯 밤이 하얗게 잠든다.

밤에 링거액처럼 눈물들이 듣기 시작한다.

귓가에 속삭이던 네가 갑자기 벌떡 일어나 창문을 연다.

커튼이 밀물처럼 밀려왔다 썰물처럼 빠져나간다.

너는 내일 아침에 또 보자는 약속도 없이 창문을 통해 시 밖으로 빠져나간다.

너는

시 속으로 들어올 때와 나갈 때가 다른 사람 같다.

시 밖에서 우리는 생면부지다.

자꾸 생각나는 괄호

—   *

거울을 봐, 눈, 눈동자, 눈썹, 코, 콧구멍, 콧방울, 입, 입술, 혀, 귀, 귓구멍, 귓바퀴
얼굴이라는 괄호 속의 괄호들.
그 괄호들 속의 괄호들이 겹겹이 가득해.
울고 웃어봐, 이목구비에 매달린 주름까지도 다 괄호투성이야.

괄호의 또 다른 표기는 물음표가 아닐까,
너는 달력 속의 숫자에 괄호를 치며 말한다.
너를 두고 떠난 그의 기일이다.
네가 친 괄호 속의 까만 숫자가 흡사 물음표같이 생겼다.

빈틈없는 동그라미로 날짜를 가두면 그가 제 기일로 못 찾아올 것 같아.
이렇게 괄호를 치면 위든 아래든
하늘에서든 땅 밑에서든
살아 있는 자들이 그어놓은 선을 넘지 않아도 쉽게 들어올 수 있잖아.
그리고 무사히 나갈 수도 있을 것 같아.

**

지구라는 괄호 속의 무수한 괄호.
지금 네가 들고 있는 시집을 포함해
지구 속의 모든 유기물과 무기물을 그려보면 예외 없이 [대{중(소)}]괄호로 조합된 것을 알 수 있다.
먼 산과 바다, 바람과 파도, 나뭇잎과 물고기, 돌멩이들과
어쩌다가 지구라는 괄호 속에 갇힌 해와 달까지.
하다못해 우리 집 창문까지도.
괄호들 속은 침묵과 밤이 가득하다.
의문과도 같은 온갖 생각이 뭉게구름처럼 생겼다가 이내 텅 빈다.

내 옆에 채워 넣어야 할 괄호처럼 생겼다가
괄호만 벗어두고 사라진 사람에 대해.

사람의 몸은 괄호들의 총합이다,로 시작하는 길고 긴 시험 문항을 받아 들고
소괄호 같은 너의 두 눈은 금세 당혹감으로 차오른다.
그 괄호 속은 못 전한 무언의 말들로 들끓다가
거짓말처럼 지워지길 반복한다.

—

거스러미가 잔뜩 돋아난 너의 거친 손톱은 네 몸 가장 끝의 괄호다.
온몸의 마디마다 괄호로 막힌 너로부터
가장 멀리까지 용케 흘러나온 생각들을 배수진 치며 틀어막고 있다.
손톱은 평생 매 순간 끊임없이 밀려 나오는 온갖 생각을 가두는 작은 댐이다.
생각들이 자란다, 너는 습관처럼 손톱을 바짝 깎는다.
결국 잉크처럼 한 방울씩 새어 나오는 생각들로, 너는 날짜에 괄호를 친다.

'죽음이란, 죽은 사람들에 대한 생각이 혈액처럼 다 빠져나온 것이 아닐까?'
죽은 사람을 생각하며 날짜에 표시를 할 때마다
지구라는 괄호는 늘 텅텅 비어 보이는데
(이미 잊힌 슬픈 기억 한 토막), 그 괄호 밖으로 하나 빠져나간 것 없이 고여 있다.

너는 왼쪽으로 한 번, 오른쪽으로 한 번 괄호 두 개를 바짝 붙여
달력에 동그라미를 친다.
동그라미 속에 내 생일이, 어디로 도망도 못 가게 꽁꽁 갇혀 있다.

햇살

이곳에 드리워진 암막 같은 밤이 걷히면 햇살이 이곳을 구석구석 만진다. 해변이 훤히 보이는 소공원. 소나무가 작은 군락을 이루고 있고 나무 사이 여기저기 해먹이 걸려 있는 곳.

너는 매일 수평선에 두 번 절한다. 너는 자신이 속한 시간에 대해서 내게 말하지 않는다. 대체 너는 어느 시간에 있냐고 물어도, 순전한 농담으로 듣고 웃고 만다.

얼마 전에, 한밤에, 암막 뒤편에 도둑이 들어 잠든 내 가슴뼈를 열어 귀중품들을 발굴해 갔다는데, 그 일이 신기한 경험이었던 이유는 남아 있는 귀중한 것이 하나도 없었기 때문이다.

빈 가슴을 몰래 한번 열어보니 무엇이 귀중해 보이나 물으니, 뼈는 몸 안으로 파고 들어간 굳은살이라고 말한다. 그 알쏭달쏭하고 순순한 대답을 꼬투리 삼아, 그 도둑이 정말 너였냐고 되묻는다.

너는 막 수평선을 향한 두 번의 절을 마치고, 대답 없이 바다에 제물처럼 몸을 던진다. 아침 해가 솟고 수평선이 봉분처럼 부풀어 오른다.

해수욕을 마치고 나온 너는 차가워진 온몸으로 따뜻하고 보드라운 햇살을 만진다. 해변의 백사장이, 알몸의 아이들이, 늙은 나무들이, 주인 없는 파라솔과 해먹들까지도, 나 역시 거부하지 못하고 햇살을 쓰다듬는다. 기억 속에만 여태 사는 죽은 사람의 따뜻했던 체온의 살갗을 만지듯 시간을 잠시 멈춰놓고 가만히 쓰다듬는다.

눈을 감고, 햇살은 왜 이렇게 따뜻하고 보드라울까 은연중에 물으니, 웬일로 너는 단호히 답한다. 몸이 없잖아. 죽어서 차갑게 체온을 끌고 내려갈 몸이 없잖아. 오직 기억의 성분으로만 이루어져 있잖아, 햇살이라는 살갗은.

햇살을, 만지며 이곳의 아이들이 무럭무럭 자라나, 우리처럼 무럭무럭 늙어간다.

눈물의 형태

—

언젠가 식탁 유리 위에 한 줌의 생쌀을 흩어놓고 쇠젓가락으로 하나하나 집으니 어느새 눈물이 거짓말처럼 멎는 거야 여전히 나는 계속 울고 있었는데, 마치 공기 중에 눈물이 기화된 것처럼

그런 이야기를 하며 또 너는 운다
나는 어색하지 않고 자연스럽게 쇠젓가락을 가지고 네 맞은편에 앉는다
그리고 쌀알처럼 떨어진 네 눈물을 아무 말 없이 하나하나 집는다
그것이 지금 내가 할 수 있는 유일한 위로의 형태라는 듯

실제로 지금 우리가 오랜만에 만난 이곳은 너의 '시' 속이어서 그런지
너의 눈에서 떨어지는 눈물이, 마치 상상 속에서나 가능하듯
식탁 유리에 닿기까지의 짧은 순간
단단하게 결빙된다
그런데 이번에는 바닥에 닿는 순간 다시 주워 담을 수 없게 산산이 깨져 먼지처럼 흩어진다
마치 누가 언제 울었냐는 듯

눈물은 처음에는 고체 형태다. 달궈진 눈두덩에서 녹으며 잠시 액체가 된다. 그때 소량은 기화해 흐느낌의 형태로 공기 속에 스며든다. 공

—

기 속에 스며들며 생기는 최종 결정이 먼지다. 지구상에는 그 무엇보다 먼지의 개체수가 가장 많다. 그 모든 것이 결국 먼지다.—시작 메모

콩자반처럼 까만 너의 눈동자에서 퐁퐁퐁 솟아난 눈물이
마르기 전에 먼지가 되기 전에
젓가락으로 모두 집어 먹을 수 있을까

흰밥과 미역국을 앞에 놓고 앉은 너의 눈동자 안에는 시곗바늘이 대관람차처럼 돌고 돈다
한 칸 한 칸 탑승하고 있는 눈물들이 눈동자 밖으로 무사히 하차할 수 있도록 최대한 천천히 돌고 돈다

지구가 너무 아찔하게 높아서, 뛰어내리기를 매일 실패하는 해와 달처럼
네 눈동자 속의 대관람차에 승차한 내 시선은 미처 내리지 못하고
네 기억의 가장 슬픈 꼭대기로 더없이 천천히 올라간다

그동안 웃음에 가려져서 못 살폈던 너의 풍경들을 세세히 다 보라고
지평선이 지는 해까지 데리고 멀찌감치 물러나 있다

금연에 대한 우리의 약속

우리는 금연을 하지 않기로 굳게 약속했다.
금연은 하면 결코 안 되는 것이다.

너는 세상 사람 모두가 금연을 하게 되면 지구가 정말 땅바닥으로 추락할 것이라고 믿는다. 그렇게 되면 다 죽는 것이다. 세상을 걱정한다면 단 한 명이라도 남아 담배를 피워야 한다.

세상에 마지막 남은 흡연자가 있다면 아마도 그것은 나여야 할 것이다. 너는 약속을 끝까지 지키기에는 건강 상태가 썩 좋지 못하다.

약속을 지키는 데 '의지'가 필요하다면
나는 그 의지를 너에게서 마지막 한 개비처럼 빼앗아 오고 싶다.

특별히 두 손을 다 써야 하는 상황이 아니라면 우리는 늘 온갖 걱정에 담배에 불을 붙여놓고 있다.

아주 길고 가는 연기가 아무런 방해도 받지 않고 고요히 하늘로 올라가는 걸 지켜보는 건, 걱정을 깜박 잊을 만큼 보기 좋은 일이다.

하늘에 올라가 구름에 비끄러매인 연기가 우리 지구를 공중에 부양하고 있다.

지구라는 작은 바스켓에 우리는 다 함께 타고 있다.

그중에 희생자들을 태우는 화장장의 연기나

흡연자들이 피우는 가느다란 담배 연기들이, 열기구의 무수한 날줄처럼 둥근 '공중'에 매달려 있다.

땅이 꺼지듯 추락하는 바스켓 속에 갇힌 유족들의 뜨거운 탄식이나

흡연자들이 내뿜는 하얀 입김이

밤낮으로 '공중'을 둥글게 부풀린다.

그러니 혼자만 오래 살겠다고 금연하는 것은 얼마나 이기적인 무임승차인가.

과연 그런가 뭔가 좀 아리송하더라도, 이 순간 한 번쯤 가슴에 손을 얹고 생각해보자.

나는 잠든 너의 담배 냄새 나는 부르튼 입술에 몰래 입맞춤한다.

유족인 너의 몸은 한 개비의 담배처럼 바스러질 듯 깡말라 있다.

조금만 힘을 주어 붙잡으면 툭 맥없이 부러질 것 같다.

내일 나는 너에게 아무 일도 아니라는 듯 금연을 권유할 생각이다.

대신 흡연을 하는 나를 담배처럼 더 많이 찾으라고 할 생각이다.

보통의 공기보다 4퍼센트 이상 이산화탄소가 많이 함유된 너의 날숨을 키스로 들이마시는 것도 이미 나의 중요한 흡연 활동

열기구 태스크(Task) 중에 하나이다.

–

서로가 한 줌 재가 될 때까지, 우리는 서로를 매 순간 마지막 남은 한 개비처럼 피우고 또

피울 것이다.

작고 빨간 꽃처럼.

너와 환절기와 나

비극과 고통에는 계절 차가 없으므로 우리 저녁 식탁에서 제철 음식이 사라진 지 오래다.

너는 계란말이를 고요히 집어 올린다.

수백 킬로미터 떨어진 먼 곳에서 다음 태풍이 우리 집 창문을 약지로 살짝 튕긴다.

계란말이를 집은 너의 젓가락은 피뢰침처럼 미세하게 떨린다.

태풍처럼 안으로 말린 커다란 계란말이.

그만 힘없이 네가 툭 떨어뜨린 계란말이.

떨어져 풀어져버린 계란말이.

올해만 벌써 몇 번째 태풍인가.

정인, 정민, 정연 등의 이름을 무작위로 불러본다.

우리는 우리끼리 기상청과 별개로 태풍에 이름을 붙여왔다.

우리가 다 같이 알고 있던 죽은 사람들의 이름을.

이 세상 따위가 아직도 멸망하지 않은 것이 그저 의아할 뿐이던

지난날 우리가 불가피하게 이름도 붙이지 못하고, 태풍인지도 모르고 무방비로 정신없이 얻어맞은 태풍이 많기도 했는데

이렇게 죽은 이들과 나란히 앉아, 뉴스도 보며

이제는 태풍의 이름 정도는 알고 맞을 수 있게 되었다.

–

안 먹을 거야, 계란말이?

노란 백열등이 해처럼 떠 있는 맑은 식탁 유리 위에 바람결처럼 겹겹이 풀어진 계란말이를 두고, 너는 슬쩍 다른 계란말이를 집어 들려다가 멈칫하며

이미 흘린 눈물을 어떻게 다시 주워 담나 하는 표정으로 말을 돌린다.

올해만 이게 벌써 몇 번째 태풍이지?

젓가락을 내려놓으며 불안한 눈으로 흔들리는 창문을 본다.

흔들리는 창문이 아니라, 창문이 흔들리는 것도 모르고 마냥 고요해 보이는 창문 밖의 천진한 불빛을 위해

합장.

우리는 귀족의 관처럼 튼튼히 짠 원목 소파에 나란히 겹쳐 누워 합장 문화에 대해 의견을 나눴고 비로소 작은 깨달음에 이르렀다.

이런 식으로 한 명 한 명의 '태풍'에 얻어맞다가는 제 명에 못 죽을 테니, 인간은 무수한 상실을 네 묶음의 '계절'로 나눠 이름 붙였다는 것을.

그런 식으로 우리는 이번 계절에 죽은 사람들이 우리 마음에 불러일으킨 태풍들에 '겨울'이라는 이름을 붙였다.

겨울이 우리의 식탁을, 식기를 거의 다 때려 부숴놓고 가고 있다.

꼬리를 물고 곧 덮쳐올 가장 힘센 다음 태풍을 생각하며 아직은 쓸 만한, 이 나간 밥그릇을 거두어 설거지하며

그해 봄의 태풍 속에서도 살겠다고 거르지 못한 식사들을 복기한다.

귀한 밥 먹고 바로 울면 죄받는다며 너는 설거지도 안 하고 서둘러 돌아누워 자곤 했다.

내일 지구에 비가 오고 멸망하여도 한 그루의

— 딸과 함께

집 동쪽에 있는 너를 서쪽으로 불렀다.

내리는 비를 보며 사과 한 쪽을 베어 먹다 뱉은 사과 씨 하나를 너의 손바닥 위에 올려놓았다.

내 장난에 너는 환호하며 주먹을 꼭 쥐고 외쳤다.

"심었다"

네가 들어 올린 그날의 작은 땅.

사과나무의 가장 어린 뿌리는 땅속 제일 깊은 곳에 있기 마련이다.

잔뿌리 같은 너의 손금들이 땅속처럼 햇빛 한 점 들지 않는 작고 캄캄한 주먹 속에서 움트고

어린 너의 몸에 표정과 말들을, 공중의 길처럼 내며 가지를 뻗기 시작했다.

나 때문에 뿌리내린 한 주먹의 비좁은 땅에서

내가 죽기 전에 너를 다른 곳에 심어주고 싶었다.

그날 서해 해변, 우리 키보다 높은 곳에 떠 있는 수평선 앞에 서 있었다.

수평선에 걸린 바다가 끝없는 커튼처럼 하늘거렸다.

젖혀도 젖혀도 결국 젖혀지지 않는 커튼 너머의 창밖을 보여주려

너를 번쩍 들어 목말을 태우며 수평선 위에 올려놓았다.

–

막 바다 위로 비가 듣기 시작하자 너는 손바닥에 빗방울 하나를 받아
주먹을 꼭 쥐고 외쳤다.
"심었다"

사과를 급히 베어 먹듯
석양을 삼키는 수평선이 후드득 빗방울을 사과 씨처럼 뱉어냈다.

벌써 너의 작은 손에 빗방울이 뿌리내리고 가지를 뻗으며 눈물처럼
자라기 시작했다.

오늘은 없는 색

—

물이 고이는 곳에 물때가 끼듯 매일 공기가 고이는
사실상 세상 모든 곳에는 때가 낀다, 녹이 슬거나 주름이 지거나
꽃이 피거나.

또 하나의 심각한 찌든 때는 빛 때문에 생긴다.
햇빛이 고이는 곳에는 무엇보다 시커먼 때가 낀다.
빛이 빠져나가면 미끌미끌한 어둠이 잔뜩 껴 있는 걸 알 수 있다.

땅거미와 나는 공생 관계다.

내 몸 곳곳에 낀 빛의 시커먼 때를, 땅거미가 한발 미리 내려와 매일 밤새 머리부터 발끝까지 깨끗이 청소해 준다.

그 청소가 한창일 때

나는 빛에 찌든 때가 앞서 완벽히 청소된 '유일한 곳'에 간다.

사랑하는 너와 함께 있던 그곳에 너는 이제 없는 것과 같다.

그곳은 기억 속일까 아니면 꿈속일까, 하지만 그건 너무 흔한 추측인 걸, 매 순간 의심하며

청소가 끝나길 기다린다, 기다리다 깜박 잠이 든다, 물론 두 눈을 감고

심지어 두 눈을 감고 있는 순간에도

우리는 매번 '기억' 속에 찌든 때처럼 낀 우리를 보고 있다. 이를테면

– 다음과 같은;

네가 공허한 시선을, 창밖으로 던지며 한숨을 폭 내쉬고, 다시 책 속으로 거두며 정확히 그만큼의 숨을
들이마실 때, 나는 네 몸속으로 몰래 슬쩍 빨려 들어갔다가
한숨이 되어 도로 빠져나온다.
내 추억의 게임이다.

결국은 너의 기억에 낀 가장 오래된 때는 '너'다.
결론은 나 자신이 내 기억에 낀 지워지지 않는 때였던 것처럼.
한때 나는 '네'가 내 기억에 잔뜩 낀 닦이지 않는 때인 줄만 알았다.

눈물 고인 모든 오늘은 어제와 내일 사이에 낀 물때.
오늘은 어제와 내일을 반반 섞으면 띠는 색.
오늘은 알 수 없는 색이다.
오늘은 나의 생일이다.

생일은, 기다리던 퇴원 날.
다인실 옷걸이에 걸린 몸을 집히는 대로 입고 나온 날.
그날부터 몸과 마음따라 변해가는 색.

–

요람에서 무덤까지 세월에 꼭 맞게 늘어났다가 줄어들었다가
한 움큼의 먼지가 되는 몸.
물이나 빛이나 공기가 평생 고인 몸.
'나'는 물과 빛과 공기가 고인 나에게 낀 때.
세상에 없는 색의 때.

내게 묻은 '나'라는 찌든 때를 한때나마 닦아준 사람을 사랑한다.
나를 무색하게 하는 일을 한 그 사람을.
어떤 바람도 없이
내 생일을 기억하는 너와 같은 사람을.

'운'이 좋을 때까지 오래도록

나는 운이 좋은 사람이다. 이과생으로 고교 시절을 보내고 진로 고민 없이 자연스레 공과대학에 진학했다. 나쁘지 않았다. 다만 그때까지 '시'를 생각하지 못했다. 내가 운 좋게 시를 좋아하게 된 것은 거의 내 생에 '유턴'에 가깝다. 그것은 의심 없이 그리하여 한참이나 가던 길을 되돌리는 과감한 유턴이었다,고 지금에서야 회고하지만 당시는 그렇게까지 비장하지 않았다. 그냥 좋아하는 건데, 마음에 혈서를 쓰는 듯한 비장한 결심까지는 필요치 않았다. 시인까지는 되고 싶지 않았다. 솔직히 '시인'은 내가 될 수 있는 범위 내의 존재라는 생각이 들지 않았다. 그저 대학 문학동아리 회원으로서 좋아하는 것으로 만족했다. 군 시절 시 비슷한 것을 끄적거리기 시작할 때부터였을 것이다. 조금씩 욕심이 생겼다. 그렇다고 실현 가능할 거라는 생각은 안 했다. 대학 생활도 일 년밖에 남지 않았던 겨울, 시인이 되지 못해도 괜찮다는 생각을 했다. 그제야 나도 모르게 꿈꾸고 있었다는 걸 알았다. 그러나 습작시는 만족스럽지 않았고, 어차피 처음부터 비장하지는 않았으니 체념도 빨랐다. 운 좋게 그 겨울 등단을 했다. 운 좋게 또래의 시인들과 인연이 닿아 '동인'이라는 이름으로 함께 남은 이십 대를 보냈다. 그들이 아니었다면 시 쓰기를 지속하지 않았을지도 모른다. 신예 시절, 이른 출근과 늦은 퇴근을 하는 직장을 다니고 있었고 작품 발표 지면도 무척 드물어서 정작 시를 많이 쓰지 못했다. 나도 '시집'이라는 것을 낼 수 있을까, 가질 수 있을까 의심과 체념이 들 즈음 첫 시집의 출판이 결정되었다. 그리고 지금까지 약 이십 년간 꾸준히 조금씩 발표 지면을 얻고 시집을 출간하며 계속 써오고 있다. 나와 비교되지 않을 만큼 좋은 시인들이 많다. 나로서는 내가 쓸 수 있는 시를 꾸준히 쓰는 것이 예나 지금이나, 앞으로도 최선이다.

나는 운이 좋은 사람이다. 앞서 꾸준히 초연했던 것처럼 말했지만 늘 지속 가능성에 대해서 생각한다. 기대치 않게, 지금까지 잘 가고 있다는 이정표를 만났다. '현대시작품상'이다. 『현대시』는 내가 습작 시절부터 매달 학교 도서관에서 자리 잡고 완독하던, 시인들에게는 그 자체로 상징성이 상당한 월간

시 전문지다. 내가 막 걸음마를 떼던 습작 시절 시작된 '현대시작품상'을 수상하게 될 것이라고는 당시에도 최근에도 예상치 못했다. 이 상의 첫 수상자는 김혜순 시인이다. 당시 시인께서는 지금의 나와 정확히 같은 나이였다. 그리고 이듬해 겨울 선생은 심사위원으로 내가 시인이 되도록 문을 열어주었다. 기분 탓이겠지만, 이런 작은 우연도 왠지 우연 같지가 않다.

여러모로 『현대시』는 예나 지금이나 내가 가닿지 못한 시에 대한 순전한 열정들의 정점에 있다고 생각되었다. 꿔다 놓은 보릿자루 같은 내가 그곳에서 함께 좀 그럴듯하게 어울리려면 더 노력이 필요하다고 생각한다. 이번 기회에 꾸준히 더 써 봐야겠다. 다시 '운'이 좋을 때까지.詩

잠, 책, 체온

김중일

잠

나는 잊을 수 없는 잠에 대한 기억이 있다. 그렇다고 그 기억에 대해 딱히 들려줄만한 극적인 내용이 있는 것은 아니다. 다만 유년의 그 '잠'은 내게 있어 죽음에 대한 인식을 처음 촉발한 사건으로 각인되어 있다.

내가 처음 '죽음'에 대해서 인지한 것은 아홉 살 무렵이었다. 내가 그것을 정확히 기억하는 건 그날 밤의 '깊은 잠' 때문이다. 예기치 않게 나는 마치 죽다 살아난 것처럼 잠을 잤다. 그날 밤 죽은 세상의 모든 시체들을 끌어다 덮어 놓은 듯, 멧장처럼 묵직한 솜이불 속에서 말이다. 새벽까지 봉분 속에 갇힌 듯 옴짝달싹할 수 없었다.

당시에 아버지는 먼 지방의 소도시에 직장을 두고 있었고, 우리 모자는 '밤에 좀 무섭다'는 핑계로 아현동 단칸 셋방을 자주 비우고 구로에 있는 외가댁에서 먹고 자고 하던 시절이었다. 그날 밤 무슨 이유에선가 다들 집을 비웠고, 나와 외할머니 단둘이 집을 지켰다. 지금까지의 정황 설명이 다소 장황했음에도, 사실 따지고 보면 그날은 특별할 것도 없는 날이었다. 물론 도둑이 다녀간 것만 빼면.

아무튼 할머니와 단둘이 허술한 단독주택에 남겨진 그날, 나는 거대한 바다거북의 등껍질이라고 해도 믿을 정도의 엄청나게 두껍고 무거운 솜이불을 덮고 내 아홉 살 평생 가장 깊은 잠을 잤다. 나는 그 바다거북의 등껍질 같은 이불을 지고 수천 미터의 잠의 심해 속을 떠돌며 깊이 더 깊이 유영했다. 단 한 점의 꿈에도 오염되지 않은 순전한 잠이었다. 그날 이후 내가 여태껏 다시 다다르지 못하고 있는 깊이의 잠. 그 잠의 심해로 나를 하염없이 밀어 넣던, 아홉 살 내게는 너무 무거웠던 이불을 마치 익사 직전에 발작하듯 걷어차고 내가 눈을 번쩍 떴을 때 집의 적막. 그날 새벽은 물속같이 완벽한 고요로 가득 차 있었다. 나는 실제로 바다에서 막 건져냈다고 해도 믿을 만큼 온몸이 땀으로 뒤범벅이 되어 있었다. 나는 그때 처음 이런 생각을 하게 되었다. 심지어 진지하게. 아홉 살 인생 한 번도 느끼지 못했던 황망한 마음으로.

'내가 죽는다면 분명히 이런 느낌일 거야.'

그 순간 거대한 고래처럼 방안을 천천히 유영하는 적막의 검은 몸뚱이가 창문에 어른거렸다.(사실 그것이 도둑이었다니! 그것도 모르고,) 나는 손등을 할머니의 코언저리에 가만히 대보았다. 그리고 안도하며 다시 눈을 감았다. 금세 나는 잠수하듯 깊은 잠에 다시 빠졌다. 그런데 늦잠을 자고 일어나보니, 도둑이 들어 집안이 어질러져 있었고, 심지어 할머니는 그 '검은 것'을 쫓다가 넘어져 가벼운 타박상까지 입고 있었다. 무거운 가전제품도 가볍게 지고 가는 체력 좋은 도둑이 흔한 시절이었다. 다행히 집안에 크게 부서지거나 없어진 것은 없었다. 그렇다면 그 도둑은 무엇을 훔쳐 갔을까?

그날 이후 나의 죽음에 대한 몽상은 본격적으로 시작되었다. 이를테면 이런 것들이다. 모든 생명은 밤에 태어나고 밤에 죽는다. 밤을 떠나 한시도 살 수 없는 생명체들이 온갖 귀신들로 들끓는 낮의 시간을 무사히 건너기 위해 각자 꼭 필요한 만큼의 양식처럼 밤을 떼어온 것이 바로 '그림자'이다, 라는 황당한 설정의 만화를 사춘기 내내 괴발개발 그리기도 했다. 나는 줄곧 말수가 적은 아이로 자랐다. 그날의 죽음처럼 깊은 잠 때문이 아니라, 그건 그저 타고난 성격 탓이다.

내게 있어 '죽음'에 대한 첫 이미지는 내 유년의 그날 밤에 예고 없이 나를 불쑥 찾아와, 검은 겨울밤과 적막을 갉아먹으며 한없이 깊어지던 '잠'이다. 그날 이후 단 한 번도 비슷하게라도 그 '깊은 잠'을 경험해보지 못했다. 다시 아홉 살 탐정처럼 추리를 해보자면 그날 밤의 진짜 도둑은, 그날 밤 죽은 인근의 망자들일 것이다. 그때 그들에게 싹 다 도둑맞은 나의 '깊은 잠'은 아마도 내가 정말 죽는 날에야 다시 얻을 수 있을 듯싶다. 물론 나도 그때 가서 동네 아홉 살 어린 아이에게서 그것을 훔쳐야겠지만.

'깊은 잠'을 도둑맞아야 그 아이에게도 앞으로 한 생 살아갈 대낮이라는 여백이 생길 테니.

책들의 고독

나는 책장 한 장 한 장이 한 겹의 주름이라고 생각한다. 어떤 책을 읽기 전에 그리고 다 읽은 후에, 겹겹의 주름 같은 책장들을 손끝으로 훑어본다. 저자가 이미 사망한 이후도 긴 세월을 견뎌내며 살아남은 책들의 손때 묻은 책장에서 느껴지는 감촉을 좋아한다. 무수히 습기에 눅눅해졌다가 건조되길 반복하며 종이의 날카로움이 다 날아가고 대신 마치 사람의 체온이 스며 있는 듯한 책장의 감촉.

하루가 한 페이지라면, 자신의 하루를 약 삼만 오천여 페이지쯤 넘겨 본 사람이 있다. 그는 나의 할아버지. 사람의 주름이 어느 정도까지 많아질 수 있을까. 그는 몸소 체험했다. 세월 따라 근육이 다 녹아 버리고, 뼈에 바로 달라붙은 바스러질 듯한 피부. 급기야 그의 피부는 그 많던 주름들을 붙잡고 있을 힘마저 잃었다. 그의 살갗은 마치 무수한 낱장이 제본되어 겹쳐진 책장들 같았다. 조금만 힘주어 만지면 낙엽처럼 한 장 한 장 떨어져 내릴 것만 같았다. 할아버지는 온종일 병실 침대에 누워 있었다. 책상 위에 백 년 동안 놓여 있는 책처럼. 고독하게. 할아버지는 물 한 모금 마시는 것도 고통스러워했다. 그는 엄청나게 고독해 보였다. 수십 년 전 그가 일곱 살이던 내게 설명하려 했던 '고독'이 어떤 것이었는지 새삼 궁금해졌다.

할아버지는 찾아뵐 때마다 대부분 무언가를 읽고 계셨다. 한때 신문사에서 근무하셨던 할아버지는 매일 몇 종의 신문을 읽고, 대부분의 시간을 소장하고 있는 오래된 책을 그날그날 즉흥적으로 꺼내 다시 읽은 후 마지막에 국어사전을 읽으셨다. 온종일 읽었던 활자들 중 따로 메모해 둔 것들의 뜻을 국어사전을 통해 다시 확인하는 것이다. 나는 할아버지의 독서가 일종의 낚시 같다는 생각을 했다. 어제도 잡았던 물고기가 오늘도 잡힐지 뻔히 알면서도 낚싯대를 드리우고 시간을 흘려보내는 행위. 그렇게 낚아 올린 어휘들을 사전 속에 풀어놓기. 밤사이 사전 속의 단어들이 할아버지 몰래, 흐르는 강을 따라 조금씩 바다로 빠져나가 버리기라도 하듯, 매일매일 할아버지는 신문이나 책 속에서 낚은 어휘를 사전 속에 채워 놓는 듯했다. 물론 그건 나의 가벼운 공상이지만, 아무튼 오래전에는 할아버지의 사전 활용법을 일종의 기행이라고 생각했다. 그도 그럴 것이 할아버지가 사전을 통해 찾아보는 어휘는 그 뜻을 모를 수 없는 지극히 평범한 개념어들이었다. 예를 들면 외로움, 고독, 쓸쓸함, 사랑, 최선, 성실, 고통, 기쁨 등의 단어들이다. 뭐랄까, 늘 공기처럼 존재할 것 같지만, 어느 날 문득 돌아보면 나도 모르게 사라지고 없을 것도 같은 단어들. 불현듯 사전에 각인된 '정확한' 뜻이 참을 수 없이 궁금해지는 단어들. 시를 쓰며 언어를 매만진 지 어느 정도 되어가니, 이제는 활자중독자인 할아버지의 사전 활용법을 나 역시 조금 이해할 수 있을 듯하다. 이제 나도 종종 그러니까.

오래전 할아버지는 내 첫 한글 선생님이셨다. 사람마다 조금씩 차이가 있겠지만, 나는 일곱 살 이후부터는 당시의 일들을 꽤 선명하게 기억하는 편이다. 먼 지방에 직장을 둔 아버지의 부재가 길어지자, 할아버지 댁에 아예 들어와 살기 시작한 직후였다. 해가 아주 잘 드는 가을 오후였다. 유치원에서 돌아온 내게 할아버지는 조금씩 한글을 가르치기 시작했다. 이듬해 학교에 갈 예정이니 이른바 선행학습이었다. 자음과 모음을 떼자마자 할아버지는 지난 달력 뒷장에 커다랗게 '희로애락애오욕'이라고 썼다. 그리고 한 자 한 자 짚어 가며 한자를 곁들여 뜻을 알려 주었다. 기쁨에 대하여, 노여움에 대하여, 슬픔에 대하여, 즐거움과 사랑에 대하여, 그리고 미움과 욕심에 대하여, 일곱 살인 내게 길고 길게 포기하지 않고 설명했다. 물론 그 설명은 하나도 기억나지 않는다. 일곱 살 아이에게 설명하기 위해 할아버지가 무척 애쓰셨다는 것과 그 순간 나는 이미 마당을 줄지어 가는 개미 떼에 정신이 팔려 있었던 것은 기억한다. 먹지도 못하는 걸 뭐하려는지 개미들은 잘 마른 작은 낙엽들과 잔가지 여러 개를 줄줄이 힘 합쳐 옮기고 있었다.

지금부터는 내 추측이다. 그새 내 집중력이 흐트러졌음을 느낀 할아버지는 잠시 허공을 응시했을지도 모르겠다. 그리고는 기쁨, 노여움, 슬픔, 즐거움, 사랑, 미움, 욕심 등을 한 단어로 쓰면 이렇게도 쓸 수 있다고 하며 마침 손에 잡히는 내 주황색 색연필로 '고독'이라고 썼을 것이다. 노력했으나 결국, 노을빛 색깔로 커다랗게 써 놓은 '고독'의 뜻을 어린아이에게 쉽게 얘기해 주지는 못했을 것이다. 기쁨이나 슬픔 등도 그렇지만 고독은 결코 한두 마디로 설명할 수 없는 것이니까. 나는 그에게 고독이란 무엇인가에 대해 들은 기억이 없다. 들었다면 갑작스런 '침묵' 뿐. 그림자가 가장 길어지는 무렵이었을 거라는 것. 구로공단 주변의 한옥식 마당이 있는 낡은 가옥이었다는 것. 고독과 침묵. 그 두 단어는 그날에 대한 내 선명한 기억의 키워드다.

그날의 한글 수업을 여전히 내가 확신하며 회상할 수 있는 건, 훗날 발견한 할아버지의 단어장 덕분이다. 지난 달력을 노트 크기로 잘라 겹쳐서 한쪽 모서리에 구멍을 뚫고 노끈으로 손수 제본한 단어장. 나는 고교 시절 명절에 세배하러 갔다가 우연히 그 단어장을 발견하고는 너무 늦지 않게 내 유년의 기억을 완성할 수 있었다. '희로애락애오욕' 아래 가장 크게 씌어진 '고독'. 한때 주황이던 색은 노랑이 되어 있었다. 병실 창밖에 피던 산수유꽃 빛깔이다. 이제는 그 노랑마저도 투명해져서 '고독'은 거의 다 증발했다. 삶은 태생의 '고독'을 서서히 증발시키는 일인 듯하다. 육체의 근육이 거의 다 증발해서 말 한마디 하기도 어려워 바야흐로 죽음으로 가는 침묵의 세계로 들어서던 할아버지. 그 많은 활자들을 집에 두고 할아버지는 대부분 병원에서 사셨다.

할아버지의 책상은 이제 비어 있다. 할아버지는 더 이상 단 한 글자도 읽지 못하신다. 할아버지는 이제 위독하지 않으시고 고독하지 않으시다. 한 사람이 한 권의 책이라면, 나는 할아버지를 거의 읽지 못한 것이 사실이다. 일제 강점기부터 시작된 한 세기의 그의 삶과 그의 고독에 대해서 솔직히 나는 잘 모른다. 나의 첫 한글 선생님. 외할아버지는 2019년 12월, 98세 생일을 나흘 앞두고 돌아가셨다. 세상의 모든 화장장에는 분서焚書가 이루어진다.

상상의 체온

등단하고 새 학기에 맞은 첫 자율실험시간, 조원들과 아스피린을 제조하고 있는데 출석을 체크하던 조교 형이 물었다.

"학교 입구에 걸린 현수막의 공학부 김중일이 너니? 신춘이 어쩌고저쩌고."

"네 형, 저예요."

"아 그렇구나. 그래 알았다."

조교 형은 그만하면 궁금증이 충분히 해소되었다는 듯한 얼굴로 돌아섰다. 내 주위에는 등단을 하고 시인이 된다는 것을 인지하는 이가 거의 없었다. 사실 나조차도 앞으로 뭘 어떻게 해야 하는 건지 몰랐다. 청탁도 거의 없었고, 달라진 것이 없어 졸업 후 어떻게 살아야 하나 오히려 더 혼란스럽기만 했다. 대학시절도 마지막 학기로 넘어가고 있었다. 동기들은 취업 준비로 바빴다. 덜컥 등단이라는 걸 해서인지 솔직히 학교를 벗어나기가 두려웠다. 잠시만 더 학교에 머물고 싶었다.

석사과정 마지막 학기였으니, 2004년 2학기 추석을 앞둔 어느 날이었다. 작품 발표 차례가 돌아와서 「해바라기 전쟁」이라는 시를 제출했다. 십여 명의 학우들이 내 시에 대해 한마디씩 하고 내가 간단한 소감을 말하면 끝나는 수업이었다. 누구의 어떤 작품이든 웬만하면 주로 덕담이 오가는 분위기였다. 물론 칭찬만 할 수는 없으니 아쉬운 점도 양념처럼 살짝 곁들여졌다. 내 작품에 대해서도 대체로 그런 분위기로 진행됐다. 그러던 중 강의실에서 나보다 유일하게 어렸던 갓 국문과를 졸업하고 들어온 남학생이 자기 순서가 되자 우물쭈물 하더니 대뜸 이렇게 외쳤다.

"대체 왜 이런 시를 제가 읽어야 하는지 모르겠네요. 무슨 소리를 하려는 건지 하나도 모르겠어요."

강의실은 잠시 완벽한 침묵으로 가득 찼다. 수업 말미에 나는 지적해 주신 부분 감사하고, 다시 한 번 잘 퇴고해 보겠다고 했다. 해당 작품은 나중에 잡지에 게재할 기회가 생겼을 때, 그리고 첫 시집을 묶을 때 그냥 그대로 실었다. 내가 내 이름으로 세상에 내어놓은 첫 책. 그 책은 누군가에게는 '대체 왜 읽어야 하는지 모르는' 책인 채 태어났다.

대학원을 수료하고 긴 직장생활이 이어졌다. 만원버스를 타고 출근해 야근까지 마치고 돌아오는 생활 속에서 지속적으로 시를 쓸 수 있었던 것은, 수시로 딴생각을 하는 내 습성 덕이 크다. 버스 안에서, 밥을 먹으며, 회의 중에, 심지어 통화를 할 때도 우연히 귀에 꽂힌 단어 하나를 씨앗 삼아 되는 데까지 상념의 가지를 뻗어 보는 습성이 내겐 있다. 그렇게 문득문득 나는 시도 때도 없이 딴생각을 잘 한다. 자주 그것이 시가 되었다. 그러니 나는 주위의 무관심을 이겨내는 신념과 굳센 의지를 가지고 시를 계속 써 왔다고 말하기 힘들다. 그저 나는 자신도 모르게 '딴생각'을 하는 오랜 습성이 있을 뿐이다. 요즘 나는 '딴생각'하는 것을 '상상'하는 것이라고 좀 더 그럴 듯하게 포장한다. 나에겐 여전히 더없이 재미있는 놀이다. 처음에는 그저 하루의 권태, 우울, 고독 등에 대한 상상이 많았다. 매우 사적이고 내밀한 내 상상과 감성이, 타인에게로 분화되어 가길 바랐다. 첫시집에 실린 「공룡」「구름이 구워지는 상점」「해바라기 전쟁」 등의 시편들이 그렇다.

오랜 투병 끝에 곁을 떠난 아버지의 묘소를 마련한 지 보름쯤 됐을 때였다. 묘소에 들렀다가 집으로 돌아오던 중 식당에서 콩나물국밥을 먹고 있었다. 텔레비전에는 여객선이 바다 한가운데 뒤집혀 있는 화면이 나오고 있었다. 저 바닷물이 다 비명이고 눈물이겠구나 싶었다. 내 몸과 마음의 상태가 정말 한 글자도 쓸 엄두를 내지 못할 때, 대신 책을 읽었다. 그러자 그 책이 백지 상태의 내 내면에, 내가 다시 살아갈 수 있도록 위로의 글을 썼다. 그중에 롤랑 바르트의 『애도 일기』 속 밑줄 그은 구절들은 다음과 같다.

누군가 죽으면, 기다렸다는 듯 서둘러 세워지는 앞날의 계획들

: 미래에 대한 광적인 집착

처음으로 혼자서 집으로 돌아왔다. 분명해진 사실

: 이곳을 대신할 수 있는 장소는 없다.

덕분에 나는, 성급히 슬픔을 떨쳐 내려는 몸부림을 멈추고 그냥 그 슬픔 속에서 여전히 살고 있다. '슬픔'은, 내가 아홉 살 때 나를 '죽음처럼 깊은 잠'으로 이끌던 그 두껍고 무거운 뗏장 같은 이불과 흡사하다.

"대체 왜 이런 시를 제가 읽어야 하는지 모르겠네요."라고 말한 오래전 그에게는 내가 미처 채우지 못한 체온이 있었을 게 분명하다. 물론 지금도 여전히 나는 '우리'를 이루는 모든 이의 체온을 다 맞출 능력이 없다. 어쩌면 그것은 불가능하다. 아무래도 시를 쓰는 건 누군가를 기다리는 일인 것 같다. 내게는 그 이상도 이하도 아니다. 요즘 나는 기다리기 위해 쓴다. 평생을, 다시 오지 않을 사람에 대해. 나는 기다리기 위해 산다. 평생을, 다시 오지 않을 그 사람들과 함께. 그게 아니라면, 나로서는 사는 것도 시 쓰는 것도 불가능하다.詩

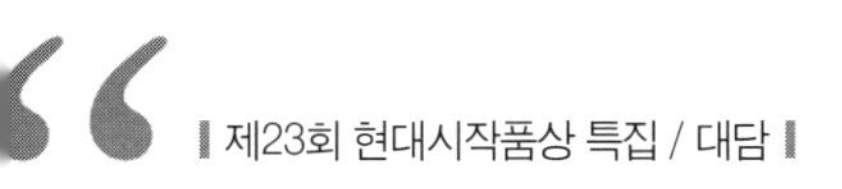

시 속 '너'와 '나'라는 빈자리

김중일 · 신철규

신철규 : 어떻게 지내는지 궁금하다. 지난 가을 해남에서 열린 문예창작학과 학생들을 대상으로 한 행사에서 스치듯 잠깐 만나고 헤어져서 아쉬웠는데 이렇게 좋은 일로 다시 뵙게 되어 반갑고 또 기쁘다. 수상을 축하드린다. 세계는 분열과 갈등이 깊어지면서 더 암담해지는 것 같아 우울하던 차에 들려온 반가운 소식이었다. 간단한 수상 소감과 함께 근황을 알려주기 바란다.

김중일 : 집에 아이들이 어리다. 아이들과 어느 정도 시간을 보내려 한다. 일터에서도 작년부터 맡은 책임이 크다. 작년에 학생들을 인솔해서 해남에 갔을 때 잠시나마 볼 수 있어서 정말 반가웠다. 아무래도 내가 하는 일이라는 것이 결국 어린 학생들을 살피는 일이라 솔직히 에너지가 꽤 많이 든다. 예술 행정 실무자로 꽤 오래 일해서 매일 쌓이는 '일'에 대한 요령과 맷집이 있다고 생각하는데, 이건 그저 '일'

이 아니다. 사무 업무를 꼼꼼히 처리하는 것과 결이 다른 영역이다. 아시다시피 하나의 존재는 어마어마한 에너지 덩어리다. 성격도 고민도 꿈도 아픔도 제각각이다. 나로서는 물리적인 시간에도 한계가 있다 보니, 그저 그들에게 미안할 뿐이다. 좀 더 노력해봐야 하지 않겠나 싶고…, 먼저 말씀 주셨듯 국내외로 갈등과 분열이 극으로 달하는 것 같고, 사실 좀 우울한 시간을 보내고 있었는데 수상 소식을 들었다. 이 우울의 시간을 시로 좀 더 기록해 보라는 응원으로 받아들인다.

신철규 : 여러 학생들의 에너지를 모아들이고 각자에게 다시 되돌려주는 것은 쉬운 일이 아닐 것이라 짐작이 된다. 워낙 차분하고 섬세하시니 학생들이 자신의 방향성을 잡고 자신이 서 있는 자리에서 버틸 수 있는 힘을 얻을 것이라 믿는다. 너무 걱정하지 않으셔도 좋겠다.
『현대시』 2022년 2월호에 실린 '현대시작품상'을 심사 경위를 흥미롭게 보았다. 1차 본심에 올라가는 과정에서 후보작 중 압도적인 우위를 점하거나 크게 점수를 얻지 못했다가 본심에 올라가면서 더 많은 지지를 받은 것 같다. 약간은 의외의 결과라고 할 수도 있겠다. 이번 수상의 이유와 의미를 개인적으로 어떻게 생각하는지 궁금하다.

김중일 : 아시다시피 좋은 시인들이 많다. 그날의 '운'이 좋았다, 라고 밖에 무슨 말을 할 수 있을까. 최근 십여 년 몇 차례 본심에는 거론된 걸로 알고 있으나 사실 상을 받게 될 거라는 생각은 못 했다. 매년 관심을 가져주는 것만으로도 개인적으로는 힘이 되었다. 내 인식 속의 『현대시』는 시에 대한 순전한 열정들의 뜨거운 공동체다. 저는 그 가장자리 또는 경계에서 '현대시'를 지켜보며 반성하는 사람이라 생각한다. 그리고 나의 그 포지션이 좋았다. 그 뜨거움의 온기가 시에

▲ 2022년 4월 1일(금) | 현대시 회의실

대한 내 마음을 늘 덥혀주고, 또한 어떤 좌표 또는 목적지가 되어주었다.

신철규 : 저 또한 시를 쓰기 위해 고투하고 시란 무엇인지 고민하는 동료들이 있었기에 시를 쓰는 힘을 얻었고 그것이 우리 시의 장을 더 깊고 폭넓게 하는 원천이라고 생각한다. 저에게 선배님은 자기 색을 섬세하게 덧입히면서 시의 경계를 넓혀가는 성실한 시인이다.

선배님의 첫 시집과 두 번째 시집을 아껴 읽은 독자로서 궁금해서 약간은 대화가 어색해지지 않은 사이가 되었을 때 "무슨 책이나 영화 좋아하세요" 물어봤던 적이 있다. 그때 드라마 봐요, 라고 대답해서 놀라웠고 의외라는 생각이 들었었다. 기발한 상상력과 그로테스크한 이미지들을 보면 조금은 잔혹하면서도 파격적인 영상으로 가득한 영화나 그림에 대한 애호가 시작에 작용한 것이라고 짐작했기 때문이었다. 아마도 최근의 신작에 대한 이야기에서 좀 더 집중적으로 물어볼 것이긴 한데 드라마를 본 경험이 창작과 이어진 경우가 있나? 시를 쓰게 되는 촉발점이 궁금하다.

김중일 : 시를 쓰게 되는 촉발점은 '원고 마감일'이다. 농담이지만, 아니기도 하다. 오랜 기간 그리고 지금도 내 시간의 대부분을 생업의 몫으로 먼저 떼어놓아야 했다. 이제 아빠의 몫으로도 떼어놓아야 한다. 누군들 그렇지 않겠느냐만. 그렇다 보니 마감일에 가까우면 평소 눌려 있던 것들을 발산하듯 집중을 하는 편이다. 드라마를 즐겨 본다는 것은 창작을 위한 어떤 목적이 있다기보다는, 퇴근 후 글을 쓸 수 없는 방전 상태에서 약간의 휴식 시간을 즐기기 위한 것이다. 나는 잡기가 참으로 없는 편이다. 딱히 잘하는 것도 없고 관심도 많지 않다. 학창 시절에 그 흔한 당구도 내내 30이었다. 여행도 한・중・일을 벗어난 적이 없다. 음악이나, 영화나, 그림이나 그 밖의 영감을 줄 만한 다방면에 관심과 조예가 있었다면 내 시가 어땠을까 생각해보았다. 그러면 좀 아쉬운 생각이 든다.

신철규 : 마감이 뮤즈다, 라는 말은 시인들 사이에 통용되는 농담이기도 하지만 진실이기도 하다. 발산과 집중이 동시에 이루어지는, 길지 않은 시간에 촉발되는 감정과 감각은 시의 중요한 자양분이기도 할 것이다. 시의 호흡과 지향점이 소설과 다를 수밖에 없는 것은 거기에 있을 것이다. 저 또한 이것을 '압축'과 '폭발'이라고 어디선가 이야기했던 듯하다. 내연 기관의 작동 방식과 같은 것이 시에는 일정 정도 필요해 보인다.

선배님의 초기 작업들, 그러니까 『국경꽃집』과 『아무튼 씨 미안해요』에 나타난 시적 기획은 이질적인 사물의 조합에서 비롯된 중층 은유를 기반으로 하는 알레고리를 통해 '가혹한 우연의 세계'를 그려 내는 듯했다. 환상과 현실의 경계를 넘나드는 기괴한 이미지들, 꿈의 언어가 현실 속으로 급작스럽게 틈입되면서 나타나는 환상과 현실의 날카로운 만남들이 특징적이었다고 이야기할 수 있다. 『아무튼 씨 미안해요』 같은 경우, 진보의 이데올로기를 거부하는 디스토피아적 상상력이 지배적이었다. 『내가 살아갈 사람』에서부터는 이러한 현실과 환상의 대립 또는 대칭적 접면이 흐릿해지면서 현실의 상처를 보듬고 죽은 자와 죽을 자들을 감싸 안는 느낌이 들었다. 세계의 변혁을 꿈꾸는 무의식적 전망을 기반으로 하는 부조리한 세계에 대한 풍자가 완전히 사라진 것은 아니지만, 조금은 현실적인, 시인과 크게 멀지 않은 화자의 등장이 눈에 띈다. 삶과 기억을 한자리에 놓으면서 권태와 폭력으로서의 시간이 만들어내는 망각에 저항하고 그것을 깊이 사유하는 자세가 돋보였다.

이번에 수상한 발표작들을 포함한 최근의 신작을 쓸 때 어떤 기획이나 동기가 있었는가? 수상작들이 포함된 신작 시집 『만약 우리의 시속에 아침이 오지 않는다면』에는 극적인 화자의 설정과 드라마적 구성이 눈에 띈다. '세상에 가득한 비극들'(「호흡의 비밀」)이 일상의 생활 속으로 스며들면서 그것을 견디고 서로 다독거리는 인물들의 태도를 읽을 수 있었다. '옆사람'으로 표상되는 가까운 사람들을 향해 나아가고(마중) 슬픔을 조금씩 나눠받으면서 놓아주는(배웅) 시적 주체가 전면화되어 있다.

김중일 : 먼저 신철규 시인의 두 번째 시집 『심장보다 높이』 출간을 축하드린다. 지지하는 한 명의 독자로서 언젠가 내가 질문을 드릴 수 있는 시간이 오리라 믿는다.

직관적으로 말해보자면 내 첫 번째, 두 번째 시집의 경우 내가 무의식적으로 지향했던 지점은 내 현실이 될 수 없는 어느 지점에 대한 상상이었다. 그 가상의 세계는 그렇다고 세상에 없는 곳이 아니라, 누군가의 또 다른 현실이자 언젠가는 나의 현실이 될 수도 있는 어떤 가상의 시공간이다. 나는 나의 '현실'을 짊어지고 상상의 세계를 찾아다니는, 말하자면 여행자였다. 세 번째 시집의 원고들이 한창 모이고 있던 2014년 나의 '현실'이 한순간 '비현실' 그러니까 마치 가상(악몽)의 세계(내가 상상해본 적 없고 원치도 않았던)처럼 돌변한 일이 일어났다. 모두가 다 아는 그 비극이다. 거기에 개인적 비극까지 겹치면서, 상상 이상의 현실 세계가 본의 아니게 내 시로 들어왔다. 그때부터, 방금 질문에서도 언급하셨듯 내가 시로 담고 있는 메타포들이 전작에 비해 '현실'적이라는 말을 듣는다. 그런데 정확히 말하면 '현실'에서 버젓이 일어나는, 보통의 상상력으로는 상상하기 어려운 매우 '비현실'적인 현실만을 담고 있다. 그러니 제 입장에서는 첫 시집 때처럼 일부러 몽상에 가까운 시공간을 설정할 필요가 없게 되었다. 그리고 그곳에는 늘 슬픔이 고여 있다.

수상작을 포함하고 있는 이번 시집 『만약 우리의 시 속에 아침이 오지 않는다면』의 콘셉트는 슬픔을 담는 '그릇'이다. 말씀하신 세 번째 시집부터 직전 시집까지의 지면을 통해 내 자신과 우리 공동체의 상처를 기록하려 했고, 자연스레 이번 시집부터는 '치유와 회복'에 대해서 담게 되었다. 시집의 목차 페이지와 첫 시 사이 간지를 넣어, 이 시집은 우리들의 회복의 시공간이라는 짧은 메시지를 일부러 '그릇'의 형태로 정렬해서 삽입했다. 이 시집의 기획에 대해 물어보셨는데, 말씀하셨듯 '드라마'라고 해도 좋다. 예기치 않은 사회적(개인적) 비극을 겪은 살아남은 너와 내가 함께하는 장면과 장면이 모인 한 편의 미니시리즈로 읽어준다면 적절하겠다. 그러고 보니

평소 즐기던 '드라마'가 드디어 내 시집 형식에 영향을 주긴 하는 듯 하다.(웃음)

신철규 : 선배님께서 제 시의 허술함을 짚어내는 날카로운 질문을 할 것 같아 무서워서 대담 자리를 피하고 싶다.(웃음) 초기 시들에서 나타나는 시적 주체의 시선의 급작스러운 이동이나 확장이 어디에서 비롯되었는지 알 것 같다. 또한 '비현실적인' 현실 앞에 선 주체의 막막함과 그 속에 고인 슬픔이 나타나는 공간이 '현실에 가까운' 장소로 바뀐 것 또한 어떤 맥락에서 이루어진 것인지 조금은 이해할 수 있겠다.

이번 시집은 우리 삶의 소중한 장면들, 기억에서 지워지지 않은 장면들만을 모아 편집한 필름 또는 옴니버스 영화를 보는 듯한 느낌이 들기도 한다. 이번 시집을 엮으면서 시의 배치에 신경을 많이 쓰신 것 같다. 제목만으로 놓고 보면 가나다순으로 배치되었는데, 언뜻 보면 책 뒤에 붙은 색인(index) 같기도 하다. 마치 OTT나 VOD 같은 영상 제공 서비스에서 볼 수 있는 것처럼, 작품 제목을 가나다순으로 나열한 느낌을 주는데, 끌리는 제목이 있으면 보세요, 하는 느낌도 없지 않다.(웃음) 하지만 첫 시와 마지막 시를 보면 의도된 배치가 아예 없었던 것은 아닌 듯하다. 이것은 시를 발표할 때 정한 제목의 우연성에 전적으로 기댄 것인가, 아니면 특정한 주제 의식의 흐름에 맞춰 제목에 조금씩 변화를 준 것인가? 어쩌면 시를 쓰는 단계에서 무작위로 뽑은 단어를 제목의 처음에 배치해서 그에 어울리는 연상들을 한 편의 시로 완성하는 꾸준한 작업의 일환이었나?

김중일 : 수년간 쓰고 발표한 작품들의 당시 제목을 전혀 수정하지 않고 그저 가나다순으로 배열한, 전적으로 우연성에 기댄 것이 맞다. 가나다순

의 배치는 시집의 출간 일정이 잡힌 지난겨울의 아이디어다. 말씀하신 OTT의 예까지는 생각해보지 않았는데 재미있다. 앞서 제 이번 시집을 한 편의 '드라마' 구성으로 언급했는데 그런 의도가 조금은 느껴진 듯하여 반갑기도 하다. 말씀하신 첫 시와 마지막 시 역시도 발표 시기가 상이하며 당시의 제목을 손보지 않았다. 즉 제목의 첫 자에 따라 우연히 배치된 것인데, 다만 마지막 시에 '자서'라는 부제를 추가했다. '드라마' 밖 현실의 저자인 나 자신의 일상과 상념들의 기록에 해당한다고 생각했기 때문이다.

우리들의 삶은 시집의 부를 나누듯 분절되지 않는다. 그리고 어떤 테마를 두고 그룹지어 모이지 않는다. 늘 다르지만 비슷한 하루의 연속이다. 우리는 오늘 겪을 일을 내일이 아닌 바로 오늘 겪는다. 그렇다고 오늘 겪은 어떤 안 좋은 일을 내일 겪는다고 해서, 나 아닌 다른 이가 대신 겪는다고 해서 이상한 일이 아니다. 그럴 수 있다. 시편들의 배치에 굳이 특별한 극적 편집이 필요 없었고 오히려 작위적일 수도 있다는 생각이 들었다. 편편이 다른 시공간에 담긴, 시 속의 너와 나의 슬픔이 저자인 나의 연출 의도를 초월하여 서로 접속하는 모습을 보고 싶었다. 그것이 시집의 현재 작품 배열이다.

혹자는 가나다순의 배열이 오히려 의도성이 짙다고 생각할 수 있으나, 오히려 반대라고 밝히고 싶다. 한 편의 새로운 시를 쓰는 당시는 오직 시 자체에만 집중한다. 언제가 될지 모를 출간 시집의 콘셉트까지 미리 설정하며 쓸 수는 없다. 이번도 마찬가지. 수년의 기간 시편마다 적절하다고 생각한 최선의 제목을 붙이고 시집을 묶을 때 특별히 연출하지 않고 단지 가다나순으로 배열함으로써 어떤 우연성과 필연성에 대한 가벼운 실험을 해보고 싶었다. 독자 입장에서도 특정 시편을 다시 찾아보기가 편리할 것도 같고. 가급적 앞으로도 시집의 작품들을 가나다순으로 배열하고자 한다. 이제 그것이 자연스럽게 느껴진다. 내 이름으로 나온 시집의 시그니처가 되어도 좋겠다.

신철규 : 이후의 시집까지 이런 배치로 편집할 것이라니, 다음 시집에 쓰일 시들의 순서가 벌써부터 궁금해진다. 좀 전에 말씀하신 시와 시의 접속이 만들어내는 묘한 어울림 같은 것을 실제로 시집에서도 확인할 수 있다. 이 시집에는 제목의 첫 글자가 '나'와 '너', '옆사람'이라고 하는 단어로 시작하는 시들은 다른 시들과 달리 한 편이 아니라 두세 편씩 담겨 있다. 그만큼 이 시집의 지향점을 단적으로 보여주는 것이라 생각한다. 대부분의 시들에서 슬픔에 빠진 누군가가 있고 그 슬픔에 조금은 닿고 싶은, 잠깐이라도 곁에 있어 주고 싶은 사람이 나오는데 이러한 설정은 이와 무관하지 않은 듯하다.

이번 시집에 실린 시들에서 어떤 일정한 구조적 틀을 볼 수 있었다. 스타일이라고도 할 수 있을 텐데, 언뜻 무리한 설정이라고 보이는 것을 끝까지 밀고 가는 느낌, 말도 안 되는 이야기가 말이 되는 것 같은 시적 변전이 일어나는 지점이 흥미로웠다. 동화 같기도 한 비현실적인 상상력을 일상으로 끌고 들어와 그 의미를 추적하고 해석해내면서 그것으로 현실의 비극들을 건져 올린다는 느낌이 들었다. '~은 ~이다'라는 해석과 정의가 작품의 초반에 설정되고 나서 사건이나 현상의 의미와 근원을 추적하는 연상의 확장이 일어난다. 그 과정에서 과거의 사건들의 의미를 새롭게 해석하고, 미처 생각해보지 못했던 현재의 발견이 과거를 되돌아보게 하는 힘으로 작동하기도 한다. 이는 우리가 잃어버리거나 놓쳐버린 삶과 관계의 의미를 현실로 되불러오는 작업이라고 생각되었다. 이는 현실을 긍정하고 사랑으로 존재를 감싸 안으려는 적극성을 내포하고 있다. 그러면서 초기의 시적 작업에서 두드러졌던 알레고리가 포기 또는 탈락되었다는 느낌도 들었고, 일종의 시작 메모가 전경화되었다는 생각도 들었다. 물론 상상으로 만들어진 것이기는 하겠지만, 2차적 가공 작업을 거치지 않은 시인과 가까운 일상 경험과 생각들을 전면에 노출시키면서 어떤 것을 얻고자 하는 것인가?

김중일 : 질문이 좀 어려운데···, 이런 질문 좋다. 못 알아듣는 척 하며 하고 싶은 말을 하면 되니까.(웃음) 환상 속에서나 존재하는 비현실적 메타포가 주를 이루지 않을 뿐이지 이번 시집의 시공간은 앞서 말했듯 회복을 위한 가상공간이다. 요즘 유행하는 개념인 메타버스라고 해도 좋겠다. 한 편 한 편이 하나의 채널이자 장면이고, 다르지만 비슷한 상처와 슬픔이 있는 생면부지의 '나'와 '너'가 들어와 회복의 시간을 살다가 각자의 현실로 돌아간다(대표적으로, 시집의 '표제작' 참고)는 콘셉트다. '현실'로 돌아간다는 점이 중요하다. 그러니 시집 속의 극소수의 시편들을 제외한다면 대부분의 '나'라는 화자는 저자인 내가 아니라고 봐주면 좋겠다는 생각이다. 그는 시(드라마) 속 주인공일 뿐이다. 그리고 '나'와 '너'는 일종의 '빈자리'다. 회복이 필요한 누구(시에 접속한 독자들)나 들어와 주인공으로 살다 갈 수 있다.
굳이 상상의 시공간을 찾아 방랑(첫 번째, 두 번째 시집)하지 않고, 상상 이상의 체험(특히 비극적 체험)이 가능한 현실을 변주하는 것으로 선회했다 뿐이지 따지고 보면 초기작들의 창작 메커니즘에서 크게 달라졌다고 생각하지 않는다. 사람이 어디 그렇게 쉽게 바뀔 수 있을까.(웃음)

신철규 : 사람의 내실은 변하지 않겠지만 표면은 조금씩 달라진다고 생각한다. 시적 기획의 방향성은 크게 다르지 않지만 그것을 보여주는, 시 속으로 독자를 초대하는 무대의 성격이 달라지면서 삶의 새로운 전

망을 볼 수 있다는 것에 공감하고 또 지지를 보낸다. 이 시집의 중요한 단어를 꼽는다면 '함께 잠김'과 '스며듦'일 것이다. 그것은 사랑의 방식과 크게 다르지 않다. 「내일 지구에 비가 오고 멸망하여도 한 그루의」 같은 시는 아름답고 사랑스러운 시로 오래 기억될 것이다. 농담처럼 이야기하는 것이지만, 「금연에 대한 우리의 약속」 같은 시를 보고 선배님께 '혹시 담배 피우기 시작했어요?'라는 바보 같은 질문을 던지기도 했다. 나 같은 어리석은 독자는 없을 것이라 믿는다.(웃음) 예전에 회사에 다닐 때 선배님은 출근해서 삼십 분이나 한 시간 동안 시를 쓴다고 했던 기억이 있다. 가장 집중이 잘 되는 시간이기도 하고 업무를 준비하는 시간이라 크게 눈치를 보지 않아서 좋은 시간이라고 했던 것 같다. 지금도 그러한가? 시는 보통 언제 쓰는가? 낮 또는 밤? 아니면 수시로? 시를 쓸 때 감정에 몰입해서 재빨리 써내려가는 편인가? 아니면 초고를 쓰고 묵혀두고 시간을 들여 퇴고하는 편인가? 이번 시집을 보면 지면에 발표된 원고와 시집에 실린 원고 간에 수정의 흔적을 많이 찾기가 힘들었다.

김중일 : 담배를 끊은 지 꽤 오래되었다. 다시 피우지는 않는다.(웃음) 평소에도 제 작품 발표 지면을 꼼꼼히 봐주신 듯하여 먼저 고맙다는 말을 전하고 싶다. 맞다. 예전에 비해 발표 당시 원고를 거의 수정하지 않게 된다. 여러 이유가 있겠지만, 한 편 한 편의 시편들이 쓰일 당시의 시간과 공간과 그리고 현재의 시점에서 흘러가고 없는 시인으로서 당시의 내 내면의 무늬를 담고 있고 아슬아슬하게 붙잡아 놓고 있다는 생각이 들었다. 그러니 자꾸 시의 벽돌을 빼고 다시 새것으로 넣는 작업이 조심스럽다. 득보다 실이 많을 것 같다는 느낌. 20년차가 되니 그렇게라도 시인으로서의 지난 시간에 집착하게 된다. 요컨대 일 년 전의 시인인 '나'의 작품을 지금의 내가 많

이 손보는 건 도리가 아닌 것 같다. 게으름을 합리화하는 핑계 같기는 하지만.
시는 예나 지금이나 평소에는 못 쓴다. 평소 시인 모드가 아니다.(웃음) 말은 그렇게 했지만, 시에 대한 어떤 부채감으로 한껏 눌려 있던 의지가 마감 약 사나흘 전에 분출하여 초고를 비교적 짧은 순간 스케치하듯 쓴다. 물론 자주 미흡하다. 순간의 스케치가 휘발되기 전에 다음 날 대략 완성한다. 최소 이틀 정도 원고와 거리를 두고 일부러 살피지 않는 이른바 자기 객관화 시간을 갖는다. 그리고 마감일에 최종 퇴고를 한다. 따로 선호하는 시간대는 없다. 당연하게도 집중할 수 있는 시간에 쓴다. 예전 칼 같은 직장인일 때는 급한 경우 말씀하셨듯 아침 아홉시 전에 잠깐도 가능했고. 지금은 주로 어린 아이들을 재우고 난 후 내가 잠자리에 들기까지 약 두어 시간이 가능 시간이다. 보통 밤 열한 시 정도가 해당된다.

신철규 : 벌써 등단 20년차라니! 나한테 선배님은 김성규 시인과 함께 시단의 '어린왕자'로 남아 있는데.(웃음) 대부분의 시가 한 호흡에 쓰인 느낌을 받았었는데 그 이유를 알 것 같다. 한 호흡으로 쓰인 시들은 감정선이나 생각의 흐름이 이미 잡혀 있어서, 고치면 오히려 처음의 느낌이 휘발되면서 망가지는 경우가 많은 것 같다. 짧은 시간에 쓰이다 보니 한 편의 시를 완성했다는 느낌을 어디에서 받는지 궁금하다. 마지막으로 시에서 손을 떼게 되는 결정적 지점은?

김중일 : 직관적으로 말할 수밖에 없을 것 같다. 이번 시집의 시편들을 예로 들자면, 시 속의 '나'와 '너'가 글쓴이인 내가 예의 주시하지 않더라도 서로 위하며 문제없이 잘 살아가겠다 싶을 때 마감을 한다. 남들은 별점을 몇 개를 줬는지는 모르지만, 적어도 내가 보기에는 재미있게

잘 보았다는 생각이 드는 영화가 끝났을 때의 느낌을 받을 때 마무리한다.

신철규 : 이 시집의 시편들이 어느 정도 이해나 화해의 구조로 마무리되는 이유가 거기에 있지 않을까 하는 생각이 든다. 물론 단순히 해피 엔드를 말하는 것은 아니다. 두 사람이 서로를 이해하는 폭이 넓어지고 서로에게 스며드는 장면에서 끝나는 것 같다. 내 별점을 밝힐 수는 없다.(웃음) 하지만 지난 시집보다는 좀 더 읽기가 수월했고 따뜻한 느낌을 받았다는 것은 말할 수 있다.

제가 알기에 선배님은 농담을 거의 하지 않는 진지한 성격의 시인이고 그래서 다가가기 힘든 사람 중 하나라는 느낌이 컸다. 뭐랄까 '바른 생활 이미지' 또는 '모범생 이미지'가 크다. 일탈이나 불법적인 일은 절대 저지를 것 같지 않고 무단횡단 같은 것은 생각해본 적도 없는 사람 같다. 표면적으로 딱딱해 보이는 사람들도 술자리에서는 약간은 허물어지고 자기를 풀어놓는 사람들이 더러 있는데, 선배님은 그쪽도 아닌 것 같다. 이런 이미지가 불편하게 느껴진 적은 없나? 오히려 성가시게 하는 사람이 없어서 좋은 점이 있겠다 싶기도 하다.(웃음)

김중일 : 말씀하신 모습이 표면적인 나의 모습일 것 같다. 그런 면이 분명히 있다. 다만 누군가에게 해가 되지 않는 가능한 모든 '일탈'은 나의 내면에서 벌어진다. 그것이 시가 되기도 한다. 최근에 그것을 '상상'이라는 이름으로 포장하고 있다. 나는 나의 한계를 인정하는 편이다. 특히 사람 관계는 그렇다. 늘 나는 한 대상에 대한 내 진심의 양과 관심의 지속가능성에 대해서 생각하는 결벽증이 있다. 한 존재는 어마어마한 에너지들이다. 나는 여러 사람을 감당하기에 부족한 내 육체

와 정신의 한계를 인정한다. 한 시절 가깝게 지냈다가, 시나브로 멀어지는 것을 나는 제일 못하겠다. 그 대신 개인적 바람은, 우리들 사이에 다행히 '시'가 있고, 그것으로 좋아하는 동료 시인들과 만나고 싶다. 그러나 말씀하신 것 일부는 선입관이다. 실제 나는 윤리 교과서 속에서 걸어 나온 인물이 아니다. 유년 시절 내내 공장지대에서 자라며 다소 거칠고 지난한 삶을 견디는 어른들의 요령도 보고 배웠다. 내 이런 성향에도 불구하고 오래 관계 맺는 지인들과 있으면 소질은 없지만 농담도 꽤 하는 편이고, 누군가가 나 때문에 위험해지지 않는다면 안전하게(?) 무단횡단도 한다.

신철규 : 선배님과 단 둘이 대화하면서 시간을 보낸 적이 있다. 옥천에서 열린 〈지용문학제〉에 같이 가서였던 것 같다. 살아온 이야기, 살아가면서 겪게 되는 일들, 시를 쓰면서 하게 되는 고민 등 많은 이야기를 나누면서 짧은 시간 동안 가까워진 느낌을 받았었다. 그 이후부터는 시나 삶에 관해서 좀 허심탄회하게 터놓고 지내지 않나 싶다. 저는 선배님이 눈빛을 빛내면서 시에 관해 이야기할 때면 재기발랄한 초등학생 같아서 좋아한다.(웃음)

선배님은 몇 년 전부터 교직에 몸을 담으면서 문예창작과 학생들을 지도하고 있다. 학생들에게 본인은 어떤 선생님이라고 생각하는가? 시창작 지도를 하는 데 중점을 두는 부분은? 시 창작을 가르치고 지도하는 과정에서 생기는 난점과 한계를 느끼는 것이 있다면?

김중일 : 아시다시피 시인은 자유의지에 의해 탄생하는 것이라고 생각한다. 저는 시를 가르치고 있다고 생각하지 않는다. 그저 학생들과 '시간'을 보내고 있다. 학생들에게 대놓고 말한다. 시인이 될 필요는 없다고. 시 전공 수업을 그저 교양수업이라고 생각하라고. 한 학년에 잘

해야 두세 명 정도 외에 실제로 다수가 시인이 될 생각은 없다. 시를 상대적으로 잘 쓴다고 그것만으로 좋은 학점을 주지 않는다. 학기 초 합의한 수업 관련 약속(과제 등)을 잘 지키면 시에 무관심한 학생이라도 최고 점수를 받게 된다. 그렇게 학생들이 시에 대한 '관심'을 조금씩 갖고 최소한 독자로 남을 수 있는 가능성을 살려간다. 최소한 독자가 되어야, 시인도 되지 않겠나. 사실 내 자신이 그랬다. 그러니 기대해 볼 수 있다.

신철규 : 젊은 학생들이 시집도 몇 권 안 읽은 상태로 시작에 임하는 경우가 더러 있는데, 저 또한 수업을 하면서 느끼는 가장 큰 아쉬움과 답답함을 느끼는 부분이다. 시적 재능이라고는 일천했기에 어떻게 하면 시를 잘 쓸 수 있을까 고민하면서 시집을 읽는 것만이라도 남들보다 열심히 하려고 했었다. 여러 시인들의 시어에서 나타난 미묘한 결의 차이와 화법의 섬세한 변화, 상상력의 작동 방식과 이미지 구사 능력들을 보는 눈이 생겼을 때 조금은 시가 늘었던 것 같다.
40대 중반을 넘어가는 나이다. 보통 그 시기에 사람들은 일상의 지루함을 견디기 위해, 또 삶에 새로운 활력을 불어넣기 위해 새로운 취미를 가지는 경우가 많은 듯하다. 운동을 시작하거나 그림을 그리거나 클래식 음반을 모으기도 한다. 육체의 쇠락을 동반한 내면의 공허함을 극복하고 자신이 서 있는 자리를 좀 더 두텁게 만들고 싶다는 욕망이 여기에 작동한 것은 아닌가, 하는 생각을 해보게 된다. 요즘 관심 있는 것이 있는가? 업무 시간 외에 육아에 쓸 시간도 부족하기는 하겠지만.(웃음) 그 나이 때를 어떻게 건너가고 있는지 궁금하다.

김중일 : '육체의 쇠락'까지는 아닌 듯하다. 아이들이 너무 어려서 아직 그러

면 안 된다.(웃음) 최근 몇 년 전부터 내 나이에 대한 카운트를 멈추게 되었다. 나이 드는 게 싫어서가 아니다. 자연스레 큰 아이 나이로 내 나이를 가늠한다. 첫 딸과 정확히 마흔 살 차이다. 그래서 계산하기가 좋다. 생업과 글쓰기의 지속을 위해서라도 운동 하나쯤은 시작할 필요를 느낀다.

신철규 : 시를 통해서 상상하는 것이지만, 딸을 목마 태우고 있는 선배의 웃음이 그려진다.(웃음) 아직은 건강해 보이신다. 그리고 오래 건강하셨으면 좋겠다. 앞으로의 계획을 짧게 듣고 싶다.

김중일 : 최근 시집을 냈으니, 이후 시 작업에 대한 질문이라고 생각하겠다. 아직은 모르겠다. 시편들이 십여 편 이상 쌓이면 자연스레 알게 될 것 같다. 시집 원고를 갈무리한 후 네 편의 신작을 발표했는데 모두 어린 '아이'에 대한 이야기다. 소외나 학대받는 아이들의 이야기, 그중에 한 편은 전쟁터(우크라이나)를 배경으로 한다. 아마도 그쪽으로 방향이 잡힐 것 같은데, 만약 그렇게 된다면 의미있는 작업일 것 같다. 이 또한 몇 년 전 아빠가 됨으로써 발생한 경우의 수가 아니었을까 생각하면 다행이라는 생각이다. 아빠가 아니었다면, '아이'가 주인공이 되는 시편들을 지속적으로 쓰지는 못했을 것이다. '라떼 아저씨' 같은 말이지만, 다시금 삶(일상)이 시를 선행한다는 걸 느낀다. 그땐 몰랐는데 돌이켜보면 이십대 중반에서 삼십대 초반까지, 그러니까 두 번째 시집까지는 참 거침없이 자유로웠다. 그 시절이 그립기도 하다. 하지만 당장 돌아갈 수는 없을 것 같다. 지금 이 순간에 치열해야 할 필요와 책임을 느낀다. 모르면 몰랐을까 알게 된 이상 그래야 하는 세상이다. 다만 죽기 일 년 전쯤 출간할 내 생의 마지막 시집은, 첫 시집 또는 두 번째 시집처럼 다시금 써보고 싶다는 게 지금의 생

각이다. 그렇게 할 것이다.

신철규 : 가까운 시적 작업에서부터 가장 나중의 시적 작업까지 계획을 가지고 있으시다니 부럽기만 하다. 말년의 시 작업에서 그동안 숨겨왔었던 기괴함과 기발한 상상력이 폭발하는 장면은 눈부신 장관이 될 거라 믿는다. 전쟁과 우리의 삶이 얼마나 가까운 자리에 놓여 있는지, 극단적인 폭력이 어떻게 삶을 훼손시키는지 우리 사회가 무감각한 것 아닌가, 하는 생각을 저 또한 하게 된다. 전 지구적 생존의 위기를 자신의 이기적인 목적으로 이용하려는 세력과 다시금 맞서야 하는 것 아닌가 하는 생각을 다잡게 된다. 현실에 대한 시의 응전이 필요한 시대가 다시 오지 않기를 바라는 마음이 크지만 후속 세대에게 화해의 필요성과 평화의 소중함을 가르치지 않는 사회는 이미 죽은 사회라는 생각이 든다. 선배님의 근작시를 찬찬히 읽어보고 싶다. 긴 시간 내주어 고맙다. 후배 시인이라기보다는 한 사람의 팬으로서 '시 창작 비법' 같은 약간은 곤란한 질문들도 있었는데 친절히 알려주어서 이번 시집이 더욱 소중하게 느껴진다. 수상과 시집 출간을 다시 한 번 축하드린다. 시상식에서 또 반갑게 얼굴 뵈었으면 좋겠다.

김중일 : 제대로 선배 역할도 못했는데 먼저 후배 시인이라고 칭해주니 나도 고백하자면, 시인이 되어주어서 고맙고 다행이라는 생각이 드는 후배 시인들이 여럿 있다. 물론 철규 씨도 그중 한 분이다. 덕분에 나 또한 계속 분발하게 된다. 오늘 마주할 수 있어 반가웠고, 감사하다. 詩

신철규 | 시인. 2011년『조선일보』신춘문에 당선. 시집『지구만큼 슬펐다고 한다』,『심장보다 높이』.

이야기의 자연
— 김중일 시에 대한 몇 가지 메모

신용목

20년 전쯤, 시집을 낸 시기로 보자면 그보다 조금 못 미치는 과거에 시인은 스스로 "국경꽃집"이자 그 "카운트에 앉아 있는" 사람이라고 말했다. 이유는 "개나리담장을 걸을 때마다" 나는 "누나 생각" 때문이라고 썼다. 그리고 이렇게 보탰다.

> 우리가 살던 파란 대문 집에서 염색공장까지 한없이 이어지던 개나리담장, 누나는 그 길을 따라 출근했다가 얼굴이 노랗게 물들어서 귀가했다. 누나가 앓아눕던, 어느 개나리꽃 다 진 날의 저녁 나는 누나의 검은 샛방으로 연탄가스처럼 스며들어, 노란 머리핀을 훔쳤다 나는 그것을 거웃처럼 뒤엉킨 개나리 마른가지, 그중 가장 억센 한 가지에 달아주었다
>
> —「나는 국경꽃집이 되었다」(『국경꽃집』) 부분

20년 후에, 시집을 본 시기로 보자면 그보다 조금 못 미치는 지금도 나는 이 이야기가 가진 설명할 수 없는 아름다움이 어쩌면 시의 전부일지도 모른다는 생각을 한다. 아니, 설명할 수 없는 것만은 아니다. 염색공장, 개나리, 노란 얼굴과 머리핀으로 이어지는 색의 연쇄를 통해 '개나리=누나'라는 등식이 만들어지고, 집에서 염색공장까지 길게 이어진 '담장'은 우리의 삶을 긋고 규정하고 통제하는 '국경'으로 연결될 것이다. 국경꽃집은 그렇게 완성되고, 화자는 그곳의 점원처럼 담장과 개나리와 누나를 지키고 있는 것이다. 물론 그것만으로는 부족하다. 거기에는 '개나리=누나'라는 등식을 온전하게 만드는 행위가 뒤따르는데, 바로 '누나의 머리핀을 훔쳐 개나리 가지에 달아주는 것'이다. 이 과정을 쫓아가다 보면 자신이 '연탄가스처럼' 스며든다고 했던 일이나 개나리의 '가장 억센 가지'가 가진 함의까지 어느 정도 가늠할 수 있을 것이다.

하지만 설명할 필요 없다. 김중일의 많은 시가 그런 것처럼 이 시에 등장하는 개나리의 노란 색과 대문의 파란 색, 연탄가스의 혼몽과 억센 가지의 완고함은 시의 흐름 속에서 잠시 그 실마리를 드러내고는 아련하게 멀어진다. 거기에는 의미론적 해석을 끌어당기되 끝내 그것과 일치하지 않는 지점으로 이어지는 어긋난 지평선이 펼쳐져 있다. 노란 현기증 속에서 개나리담장이 걸음마다 세계의 국경을 덧대며 따라와서는 길을 길 아닌 것으로 만드는 것이다. 말하자면 '꽃'은 뭉쳐진 길이며 만개한 미지이다. 그것을 삶이나 인생으로 바꾸지는 말자. 다만 아픈 누나의 머리핀을 꽂고 누나로 일어서는, 아니 인용하지 않은 부분에서 보이듯 '아버지'나 다른 누구 혹은 예기치 못한 장면으로 매순간의 '담장'을 아득한 향기로 쳐놓은 세계가 있다. 즉 모든 장면이 국경으로 일어서는 그의 시는 하나의 국가를 만드는 게 아니라 국경을 지속적으로 출현시킴으로써 미지의 세계를 간접화하여 드러낸다. 그 지속은 김중일 시 특유의 이야기를 통해 구조화되지만, '이곳'을 지시하는 방법으로 재현되는 것이 아니라 이곳의 확정성을 무화하고 '저곳'의 불가능성을 확인하는 끝없는 경과이다. 불어난 물이 강의 폭을 한껏 넓혀 거기 자라던 풀들을 씻겨내듯 그래서 강의 자리와 뭍의 자리를 일순 지워내듯, 그의 이야기는 현실에서 시작되되 현실의 경계를 벗어난 지점까지 넘치고 그러고도 멈추지 않고 20년째 이어지고 있다.

나는 물고기였으니

어머니가 살집을 다 발라내시면 드러나는
잃어버렸던 앙상한 열쇠였으니

물속에서 온몸을 비틀어
물의 금고를 열었던
열쇠의 형상을 한 물고기였으니

금고 속엔 물거품과 백지만 가득했으니

—「물고기」(『아무튼 씨 미안해요』) 부분

나는 "물고기"이고 물고기는 물속의 금고를 여는 "열쇠"이다. 인용하지 않은 부분에서 말한 것처럼 물속은 "몸속"이고 그것은 "어머니"이면서 "백지"이다. 자신에 의해 그 금고가 열린 이상 "한 늙은 극작가가 불행 속에 쓴/ 희극의 첫 막"은 백지 위에 다시 쓰여질 수밖에 없다. "물"과 "몸"을, 다시 "어머니"를 겹쳐놓은 유비는 얼핏 그 감각의 탁월함에도 불구하고 그저 자신의 내력에 대한 낯익은 질문을 반복하는 듯하다. 보통 시인들이 이런 질문을 반기지 않는데, 이미 정해진 답이 있을 것이라고 예단하기 때문이다. 많은 시인들은 이 근원적인 질문을 회피함으로써 자신의 세련됨을 지키고 싶어한다. 하지만 그 예단을 통과함으로써 하나의 질문에 달라붙는 또 다른 질문이 달라붙게 만드는 것, 설령 한 줄로 설명되고 말지라도 그 질문에 맞서다 다치고 마는 일을 기꺼이 수행하는 시인도 있다. 어쩌면 그 뻔한 대결을 피하지 않을 때, 시는 '전략의 대상'이 아니라 '전략의 과정'이 될 수 있을 것이다. 이 시는 그것을 증명한다.

사실 이 시는 그저 물고기에 대한 것이며, 어느 순간 삶에 대한 말이며, 무엇보다도 밥 때에 엄마가 물고기 살집을 발라내는 일에 관한 시이다. 그리고 밥상 위에 남겨진 앙상한 물고기 뼈처럼 버려진 것들이 거느린 비릿한 비밀에 관한 시이다. 그러니 물의 금고에 "백지"는 "물거품"과 함께 있을 수밖에 없고 또 '물거품' 자체여도 상관없다. 백지의 그것처럼 매순간 다시 쓰여질 수밖에 없는 비밀, 물거품의 그것처럼 쓸수록 비워지는 비밀인 채로 말이다. 여기서 시는 쓰는 일에 대한 간단치 않은 질문에 가닿는다. 몸의, 삶의, 세계의 비밀은 어쩌면 여태 쓰여지지 않은 채로 쓰여지는, 혹은 쓰이면서 사라지는 물거품인지도 모른다. 하지만 그 답에 닿을 듯한 깊이에서 이 시는 더 깊은 물속으로 가라앉는다. 아니 '금고' 속에 가득한 물거품과 백지처럼, 답이 있어야 할 자리를 다시 질문을 차지한다. 무언가를 향한 질문이 비로소 그 무언가를 존재하게 만든다. 그것이 김중일의 시가 답을 향해 돌진하기보다는 다만 질문을 이어가는 듯한 인상을 주는 이유일 것이다. 그 질문 때문에 이야기는 계속된다. 그래서 이렇게 말할 수 있다. 김중일은 이야기를 통해서 말하는 시인이 아니라 이야기 안에서 말하는 시인이고, 그래서 시를 미학적 전략의 목표로 삼기보다는 쓰기의 연속성 속에 깃든 삶과 역사와 실존 위에 올려놓는 시인이다. 절대 귀결되지 않으므로 어떤 예단도 적중하지 못한다.

> 지난 봄밤 그물 같은 비가 내게 던져졌다
> 아직 나는 그 빗속의 오늘밤에 갇혀 있다
> 온몸 구석구석 극지를 돌아다니던 들숨들이
> 얼룩처럼 셔츠의 끝단으로 가라앉는 밤

…(중략)…

헌 셔츠들이 가득한 오늘밤의 수거함
옛날 옛적 맨 처음의 오늘밤이란 거대한 수거함이 있었고
대대손손 오늘밤의 셔츠들이 수거함 속으로 던져지고
셔츠의 오늘밤들은 산더미처럼 쌓이고
우리는 산 중턱 어디쯤에서 조난되고
오늘밤은 높은 파도처럼 솟구쳐 흰 셔츠처럼 밀려오고

—「오늘밤엔 헌화를」(『내가 살아갈 사람』) 부분

설득력 있는 관찰과 그로부터 구축한 형상의 변주를 통해 완성되는 시가 있다. 그때 단어와 단어, 문장과 문장 사이의 비약은 그 세계의 성긴 틈을 독자들의 상상력에 할애한다. 일종의 소통의 한 방식이기도 한데, 한편 주체화되지 않는 지대를 열어 객체화의 필연성을 증명하는 시의 장르적 특성 중 하나라고 해도 무방할 것이다. 그러나 그 장르적 관대함으로 빈약한 인식과 허술한 문장을 슬쩍 가리는 경우도 종종 볼 수 있다. 김중일의 시는 정반대의 방법을 택한다. 적당한 간격으로 건너뛰기보다 사유와 인식을 촘촘히 밟아간다. 감각의 연쇄를 통해 앞선 문장은 다음 문장으로 자신의 이유를 넘겨준다. 그래서 비약이 없다. 하지만 도약이 있다. 시를 이루는 문장과 문장 사이가 아니라 시 전체가 세계의 지평을 너끈히 뛰어넘고 있는 것이다. 그 도약으로 인해 시에서 들리는 목소리는 어떤 주관성으로 이해되기보다는 자신만의 세계를 수행적으로 드러내는 자연처럼 느껴진다. 말하자면 시의 수신자는 시의 발신자를 하나의 자연으로 떠올릴 수밖에 없다. 시인이라는 가상은 시인이 가진 모든 요소들의 합보다 크고, 그것은 자연이라는 이름으로만 설명 가능하다. 물론 이는 시가 가진 위의이자 권능이지 시인의 위엄이나 권력 따위는

아니다.

"그물 같은 비"에 갇혀 "산 중턱 어디쯤에서 조난"당한 자들처럼 주체는 자신의 불가능성을 증명하며 문장의 연결 속에 자신의 자리를 내어준다. 우리는 우리이기보다는 '흰 셔츠'이고 삶과 죽음은 그저 흰 셔츠가 던져지는 '수거함'이며 수거함 속에 캄캄하게 웅크리고 있던 밤은 다시 흰 셔츠의 '높은 파도'가 된다. 이 시에는 '흰 셔츠' 말고 어떤 인간도 없고, '수거함' 말고 어떤 시간도 없다. 말하자면 이 시 속에서 느껴지는 사랑과 고통과 슬픔은 주인이 없다. 다만 그로써 이루어진 하나의 세계가 있고 그 세계에 채워지는 이야기가 있다. 사랑에 대한 이야기이고 고통에 대한 이야기이며, 슬픔과 죽음에 대한 이야기이지만 누구의 것이 아니라는 점에서 스스로를 이루는 세계, 곧 자연이 된다. 밤의 수거함처럼 계속되는 자연 속에서 우리들 각자는 각자의 흰 셔츠가 되어 던져질 뿐이다. 마치 "완벽히 사랑하고도 계속 사랑하는", "완전히 사라지고도 계속해서 사라지고 있는"(「눈사람의 존엄성」) 이야기처럼 말이다.

> 누구든 둥근 지구의 가장자리에서 평생을 살았듯,
> 누구든 둥근 식탁 앞에서는 가장자리였다.
> 식탁은 늘 생일케이크처럼 밝아오고, 훅 불어 끄면 저물었다.
> 얼굴들이 양초처럼 녹아내려 발등을 뒤덮고, 하늘을 뒤덮었다.
> 누구랄 것 없이 발이 달라붙어, 서로에게 다가갈 수 없었다.
> 벌떡 일어서, 지구 너머에, 식탁 너머에 켜진 눈을 불어 끄고 싶었다.
> 서로의 얼굴을 담은 눈동자가 다 녹기 전에
>
> —「고인들의 생일 식탁」(『가슴에서 사슴까지』) 부분

말이 슬픔을 다스리는 용도라면 말은 그대로 슬픔으로 남는다. 때로 그 슬픔은 목구멍에서 폭발하여 인간의 자리를 모두 태워버리기도 한다. 우리는 그런 류의 재난을 자주 목격한다. 슬픔이 모든 것을 태워버린 곳에서 피어오

르는 몇 줄 연기로부터 녹음에 가려졌던 이 세계의 앙상한 전모가 뜨겁게 드러난다. 김중일의 시도 크게 다르진 않지만, 그 불을 끄지도 끌 생각도 없는 듯하다. 마치 긴 시간의 기름 속에 꽂힌 심지처럼 검은 바닥을 보여주지 않는 것이다. 그래서 김중일의 시를 결정하는 슬픔은 우리에게 도착하지 않는다. 바로 영원히 유예되는 과정을 가진, 이상하게 계속되는 그 이야기 때문에 우리는 슬픔 직전의 상태에서 벗어날 수 없다. 그때의 타오름. 그것은 이쪽과 동시에 저쪽을 여는 환한 문일 것이다. 그때의 식탁은 앞뒤를 알 수 없는 행성으로 돌고 있는 것이다. "둥근 식탁"에 앉은 사람들처럼, 모든 삶은 자신의 중심이면서 세계의 가장자리이다. 그곳에서 삶과 죽음은 구별되지 않는다. 오히려 삶은 죽음으로 이야기되고 죽음으로 삶으로 이야기된다. 끝나지 않는 생일처럼 죽음이 서로를 불고 자르고 떠먹는 광경이 펼쳐진다.

그러니 김중일의 이야기는 '이곳'의 것들로 만든 '저곳'의 풍경이며, 저곳을 통해서만 드러낼 수 있는 이곳의 모습이라고 해야 한다. 현실과 가장 멀리 떨어져 있는 구조로서 하나의 현실을 보여준다고 말할 수도 있을 것이다. 그러나 그가 "벌떡 일어서, 지구 너머에, 식탁 너머에 켜진 눈을 불어 끄고 싶었다"라고 쓸 때, 그 열망의 거처는 현실의 이곳도 미지의 저곳도 아니다. 그의 시가 현실과 관계 맺는 작용과 반작용의 양상은 단일한 알레고리를 넘어선 자리에서 세계의 결핍에 저항하며, 궁극적으로 그 결핍을 다시 비워내기 위한 반복된 노력이다. 있는 것을 버리는 것은 언젠가는 끝난다. 한 번 타버린 세계처럼, 있는 것은 유한하며 그것은 반듯이 바닥을 드러낸다. 하지만 없는 것을 버리는 일에는 한계가 없다. 거기에는 지속이 있을 뿐이다. 버리고 버리고 버리는 과정을 통해서만 그 결핍은 그저 결핍된 상태만은 아님을 증명한다. 결핍을 결핍으로 지울 때, 텅 빈 세계는 비로소 이유를 갖는다.

> 이런 수십 개의 채널을 모아놓은 한 권의 시집은 말이야
> 다림질까지 한 듯 기막히게 반듯이 개어놓은 시인의 속옷 같단 말이야.

세상에 존재하는 표백제로는 아무리 빨아도 결코 다 빠지지 않는 슬픔의 때가 미량이나마 껴 있어서, 결국 죽을 때까지 제대로 입어보지도 못하고 계속 다시 빨아야 하는.

빨다가 갑자기 눈물이 툭 터질 정도로 허무하기가 그 어떤 시적 수사로도 비유할 수 없는.

—「가장 큰 직업으로서의 시인 — 아무도 접속하지 않은 채널의 접속을 기다리며 하는 상념」 부분

몸은 이기적인 유전자를 담는 그릇에 불과하다,는 건 성긴 학설이다.

정확히 몸은 그 누구의 것도 아닌 '눈물'을 담는 그릇이다.

때때로 온몸이 주먹만 한 심장 속으로 뛰어드는 듯한 고통에 그릇이 흔들리는 만큼 눈물이 흘러넘칠 뿐이다.

그릇은 하나도 잘못이 없다 그러니 그릇은 슬퍼할 자격이 없다.

—「좋은 날을 훔치다 — '시'라는 식당」 부분

지금 그 이야기는 '시인'을 지나가고 있다. 김중일은 자신이 줄곧 시인을 이야기해왔다고 고백하고 있는지도 모른다. 우리는 그 고백을 듣기 위해 시를 읽지만, 고백은 다시 우리 스스로를 향한 질문으로 바뀌고 만다. 그 말들이, 이야기가 비에 분 강물처럼 강섶에 번져 풀들의 낯을 씻겨주듯이 우리의 삶과 상념을 일순 헹궈내고 있기 때문일 것이다. 시를 읽는 일은 우리가 사는 이 세계의 법칙에서 벗어나 시가 만들어낸 자연의 중력 속으로 들어가는 일이며, 시인은 다만 대야에 담아온 그 자연에 먼저 손을 담그고 속옷을 빠는 사람일 뿐이다. 도무지 빠지지 않는 때 때문에 입지도 못하고 계속 빨아야 하는, 그래서 표백제에 퉁퉁 분 손으로 미량의 슬픔을 만지고 있는 사람 말이다. 이제 그는 "얼굴 안에서 밖으로 갑자기 쏟아지려는 물풍선"을 붙잡기 위해 끝없이 주름을 만드는 얼굴(「좋은 날을 훔치다-'시'라는 식당」)을 하고 시집이

라는 자연에 몸을 맡기고 있다.

따라서 그의 몸이 '눈물'을 담은 '그릇'이고, 사랑이 그 위로 피어오르는 '물거품'인 것은 인과에 불과하다. 그렇지만 이 인과적인 감각은 인과적인 결말로 이어지지 않는다. 보통 잘못이 없으면 슬퍼할 필요가 없다고 말하지만 이 시는 잘못이 없으니, "슬퍼할 자격이 없다"고 말하기 때문이다. 여기서 또한 '잘못'과 '슬픔'은 감각을 통한 질서가 아니라 세계를 향한 질문이 된다. 이 문장을 단순하게 뒤집어놓자면 '슬픔'은 잘못이 있는 자의 권리처럼 보인다. 그렇다면 슬픔의 권리를 갖기 위해 고통에 흔들리지 말라는 것인가? 아마도 아닐 것이다. 이상하게 들리겠지만, 이 시를 읽는 동안 이미 쓰여진 시의 바깥에, 아니 바로 그 위나 옆에 나란히, 어쩌면 읽는 이의 마음속에서 동시에 쓰여지고 있는 다른 문장이 있다. 이를테면 아무 잘못이 없는 삶을 사는 잘못, 슬퍼할 자격이 없는 슬픔에 관한 투명한 문장들 말이다. 비록 보이지 않지만 그 문장은 각자의 자연을 만들 만큼 충분히 깊고 넓고 아득하다. 그래서 김중일의 시는 멈추지 못한다. 잠들 수 없는 자의 잠이나 죽지 않은 자의 죽음, 반대로 죽은 자의 살아 있음이 매일 눈을 비비며 깨어나는 아침이 있기 때문이다. 20년 뒤에도 시인의 이야기는 계속될 것이다.詩

신용목 | 시인. 2000년 『작가세계』로 등단. 시집 『그 바람을 다 걸어야 한다』, 『바람의 백만번째 어금니』, 『아무 날의 도시』, 『누군가가 누군가를 부르면 내가 돌아보았다』, 『나의 끝 거창』, 『비에 도착하는 사람들은 모두 제 시간에 온다』.

제23회 현대시작품상 특집 / 작품론

몸 없는 살갗의 노동

이철주

1

최선을 다했든 다하지 않았든 남달리 빼어난 구석이 있어 얼마쯤 유리했든 그렇지 못했든 삶은 늘 우리의 통제 범위 바깥에서 살아남는 자와 그렇지 못한 자를 무심히 결정짓는다. 살아남았다는 사실이 자신의 능력이나 특별함, 그 고유성과는 아무런 관계가 없듯 불운에 휩쓸려 더는 이곳에 머물지 못했다는 사실 역시 부재하는 그에 대해 아무것도 말해주지 않는다. 한때나마 미량의 온기와 환한 웃음을 담고 있던 눈빛은 다만 그렇게 생존의 무대로부터 캄캄히 사라질 뿐이다. 하지만 이는 얼마나 태평한 소리인가. 죽음 앞에 모두가 공평하다는 말은 그 말이 내뱉어지는 순간에조차 구체적인 실감을 획득하지 못한다. 삶이 공평하지 못하다면 죽음 역시 공평할 리가 없기 때문이다. 조금이라도 살아남는 자의 편에 속하기 위해, 조금이라도 죽음의 손짓으로부터 멀리 달아나기 위해 공평함을 거부하는 것이 상식이 되어버린 삶에서, 그것이 곧 공평함 자체가 되어버린 삶에서 죽음은 질병이자 무능이고 악이며 더러움이다.

우리는 우리에게 남은 날들을 죽음으로부터 최대한 공평해지지 않기 위해 애써 투쟁한다. 무능과 더러움이 우리의 곁에 오는 것을 있는 힘껏 혐오함으로써 살아 있다는 확신을 가까스로 만들어내고 그로부터 작고 위태로운 위안을, 무해한 치욕과 경악을 한 움큼씩 얻어간다. 그러니 정작 끔찍한 것은 살아남았다는 사실 그 자체이다. 살아남았음을 증명하기 위해 죄 없는 죽음을 자랑하듯 전시하는 일들이 아무렇지도 않게 벌어지는데, 평소처럼 일어나 익숙히 밥을 씹어 삼키고 전혀 놀라울 것 없다는 말투로 그저 그런 담소를 나누며 특별할 것 없는 하루를 꾸역꾸역 살아낸다. 어떤 치욕도 결국에는 견뎌낼 만한 것이 되어 소란스런 뉘우침도 후회도 없이 무럭무럭 자라나고야 만다. 우리의 몸에 새겨진 이 생존에의 명령은 가혹하다. 그러나 그 가혹함 덕분에 우리는 번번이 살아남는다. 기어코 살아남아 입에 담을 수 없는 수치의 증인이 된다.

이번 현대시작품상 수상작으로 선정된 김중일의 시[1]는 이 가혹한 생존 기계로서의 몸에 대한 뜨거운 부정이라 할 수 있다. 시인은 "몸은 이기적인 유전자를 담는 그릇에 불과하다,는 건 성긴 학설"이라며 아주 명백한 언설을 통해 이를 부인하고 있는데, 그에 따르자면 "정확히 몸은 그 누구의 것도 아닌 '눈물'을 담는 그릇"이며 몸과 눈물과 슬픔 사이의 관계는 "오직 사랑의 힘으로만 설명될 수 있는" 문제가 된다(「좋은 날을 훔치다 ― '시'라는 식당」). 이는 어떤 형태의 증명도 거부하는 절대적인 선언이지만 그래서 유독 더 가슴이 아프고 쓰리다. 저 뜨겁고 단단한 선언에도 불구하고 우리는 또한 "죽어서 차갑

---

1) 수상작 10편의 시는 최근 발간된 『만약 우리의 시 속에 아침이 오지 않는다면』(문학과지성사, 2022)에 모두 수록되었다. 그 과정에서 일부 시편의 제목이 수정되었으나 여기에서는 문예지에 실린 제목을 그대로 인용하였다.

게 체온을 끌고 내려갈 몸"(「햇살」)을 천형처럼 지고 가야 하는 존재이기 때문이다. 시인에게 몸은 부재하는 이가 남기고 간 온기와 수수께끼 같은 질문들을 속절없이 담아내야만 하는 애도의 공간이지만, 동시에 그 부재의 고통과 슬픔에 온전히 응답하는 것을 불가능하게 하는 근원적인 장애물이기도 하다.

김중일의 시는 부재하는 타자의 숨을 나누어 마시는, 자아의 경계마저 무너뜨리고 뒤섞는 매혹적이고도 아름다운 애도의 순간들을 직조해내지만, 냉혹하고 무심한 몸속에서 언제고 다시 깨어나야만 하는 필연에 대해 눈감지 않는다. 애도의 불가능성과 불가피함이 살아남은 자의 부정할 수 없는 필연이라면, 그럼에도 생존을 위한 몸의 시간을 처연히 살아내야 한다는 것 역시 애도하는 자가 마주하고 이겨내야 하는 또 다른 필연일 것이다. 이 이중의 필연을 시인은 몸 없는 살갗의 노동("몸이 없잖아. 오직 기억의 성분으로만 이루어져 있잖아, 햇살이라는 살갗은.", 「햇살」)으로 견뎌내려 한다. 차갑게 식어 내리는 몸의 필연을 온전히 응시하면서도, 몸 바깥의 몸, 몸 없는 살갗의 시간을 믿으며 부재하는 이의 눈길과 온기가 머물렀던 흔적들을 마음을 다해 만지고 발굴하며 기억해내려 한다.

이 뜨거운 신념 속에서 타자의 숨결과 온기는 잠시나마 굳게 닫힌 폐부 깊숙이 들어와 거꾸로 '나'를 들이마시고 어루만지며 이제껏 존재한 적 없던 이형의 시간들을 펼쳐놓는다. 그의 문장으로부터 눈을 거두어들이고 나면 몸에 묶인 수형자의 시간이 어김없이 돌아오고야 말겠지만, 몸 없는 살갗이 이미 만져버린 되돌릴 수 없는 감각과 기억들은 함부로 쫓아낼 수 없는 유령이 되어 이곳을 불쑥 점거한 채 차마 가릴 수조차 없는 민낯의 시간을 태연히 활보할 것이다. 이 역시 "유령시인"(『유령시인』) 김중일의 시를 읽는 자의 필연이겠다.

2

김중일의 문장은 사라져버린 존재들의 부재 위에서 발화된다. 그의 시에서 부재는 존재와 다르지 않으며 그것도 가장 순도 높은 존재의 유형에 해당된다. 사라져간다는 것은 가장 뜨겁고 선명하게 존재하고 있다는 말과 정확히 같은 의미이며, 아무것도 들리지 않는다는 것은 없는 몸조차 새파랗게 질릴 만큼 무언가를 간절히 말하고 있는 누군가가 지금 이 순간 애써 우리를 바라보고 있다는 뜻이 된다. 김중일 시의 감각과 이미지들은 잠시라도 눈을 감으면 무서운 속도로 자라나는 마음의 굳은살을 아프게 뜯어내고 그 상처가 아물기까지의 아주 짧은 시간 동안만이라도 우리가 부정해온 어둠 속 부재들을 그 여린 살갗으로 섬세히 만져볼 것을 요청한다. 그럴 때 삶과 죽음은, 존재와 부재는 서로의 날카로운 경계를 잃고 무너질 듯 뒤섞이며 끓어오른다. "해변의 모래는 죽은 이들이 미처 못 한 말들이 해와 달빛에 그을려 부스러진 잔해들"(「만약 우리의 시 속에 아침이 오지 않는다면 — '시'라는 침실」)이라 믿는 시인에게 부재는 수억의 존재가 가장 충일된 언어로 스스로의 존재를 알리는 행위이며, 그 눈부신 암호 속에서 우리는 부재의 언어에 존재의 언어가 거꾸로 삼켜저버리는 역동석 침묵의 순간에 동참하게 된다.

> 괄호의 또 다른 표기는 물음표가 아닐까,
> 너는 달력 속의 숫자에 괄호를 치며 말한다.
> 너를 두고 떠난 그의 기일이다.
> 네가 친 괄호 속의 까만 숫자가 흡사 물음표같이 생겼다.
>
> 빈틈없는 동그라미로 날짜를 가두면 그가 제 기일로 못 찾아올 것 같아.
> 이렇게 괄호를 치면 위든 아래든
> 하늘에서든 땅 밑에서든

살아 있는 자들이 그어놓은 선을 넘지 않아도 쉽게 들어올 수 있잖아.

그리고 무사히 나갈 수도 있을 것 같아.

―「자꾸 생각나는 괄호」 부분

인용한 시에서 사랑하는 이의 기일에 둘러쳐진 괄호는 부재를 존재의 땅에 기입해 넣는 표식이자 부재를 조금은 편안히 호흡하기 위한 매개로서 초대되지만, 이미 만져버린 부재는 존재의 어떤 노력에도 불구하고 온전히 번역될 수 없는 거대한 허기가 되어 존재의 언어를 순식간에 집어삼켜 버린다. '너'는 텅 빈 부재의 중심에 괄호를 그려 넣음으로써 부재가 애도하는 자의 시간 속으로 "살아 있는 자들이 그어놓은 선을 넘지 않아도 쉽게 들어올 수 있"도록, 동시에 애먼 죄책감 없이 "무사히 나갈 수"도 있도록 작은 숨구멍 하나 뚫어놓으려 하지만, 부재는 그런 너의 노력에는 아랑곳하지 않고 너의 두 눈 속에 대답될 수 없는 질문들만을 가득 남겨놓은 채 스스로의 중심 속으로 그저 캄캄히 사라져갈 뿐이다.

그러나 "못 전한 무언의 말들로 들끓다가/ 거짓말처럼 지워지길 반복"하며 결코 읽을 수 없는 "침묵과 밤"만을 남겨놓을 뿐인 이 부재의 언어들 앞에서 '너'는 기어코 "왼쪽으로 한 번, 오른쪽으로 한 번 괄호 두 개를 바짝 붙여/달력에 동그라미를" 다시 그려 넣는 쪽을 선택한다. 부재조차 너의 곁을 떠나지 못하도록 괄호 사이 아무리 끌어당겨도 자꾸만 어긋나는 좁은 틈을 온 힘을 다해 틀어막으며 애도의 유통기한을 영구히 폐기하려 한다. 처음부터 동그라미였던 것과 애써 두 개의 괄호를 이어 붙여 만든 동그라미의 차이, 살아남은 자의 감각과 질서로부터 부재를 안전히 격리해두기 위한 애도와 부재가 건네는 침묵 속에 몸과 언어를 영원히 정박해두려는 애도의 차이를 증명하기 위해, 그 작지만 선명한 차이를 위해 김중일의 문장은 존재한다.

나는 잠든 너의 담배 냄새 나는 부르튼 입술에 몰래 입맞춤한다.

유족인 너의 몸은 한 개비의 담배처럼 바스러질 듯 깡말라 있다.

조금만 힘을 주어 붙잡으면 툭 맥없이 부러질 것 같다.
내일 나는 너에게 아무 일도 아니라는 듯 금연을 권유할 생각이다.
대신 흡연을 하는 나를 담배처럼 더 많이 찾으라고 할 생각이다.

보통의 공기보다 4퍼센트 이상 이산화탄소가 많이 함유된 너의 날숨을 키스로 들이마시는 것도 이미 나의 중요한 흡연 활동
열기구 태스크Task 중에 하나이다.
서로가 한 줌 재가 될 때까지, 우리는 서로를 매 순간 마지막 남은 한 개비처럼 피우고 또
피울 것이다.
작고 빨간 꽃처럼.

—「금연에 대한 우리의 약속」 부분

꺼질 줄 모르는 애도의 불길은 숭고하고 아름답지만 부재를 태우는 독한 연기는 살아 있는 폐 깊숙이 뿌리를 내린 채 애도하는 자의 숨결마저도 서서히 함께 태워버린다. 살아남기 위해 몸이 집어삼킨 죄와 욕망과 변명의 무게는 바로 이 애도하는 자들이 피운 불길로 인해, 그 불길에 "바스러질 듯 깡말라" 버린 몸 속 허공으로 인해 가까스로 용서를 얻는다. 시인에 의하면 "지구라는 작은 바스켓에 우리는 다 함께 타고 있"기 때문이고, "희생자들을 태우는 화장장의 연기"와 부재 속에 내던져진 "유족들의 뜨거운 탄식"이, 적어도 그 곁에 함께 서려는 "흡연자들이 내뿜는 하얀 입김"이 필연의 중력으로부터 우리를 간신히 밀어내며 이미 예정된 침몰을 조금이라도 더 늦춰주고 있기 때문이다. 이들이 우리의 부재를 깊이 호흡하며 대신 견뎌주고 있기에 비로소 세계 역시 지속될 수 있다 믿는 시인에게 살아남은 자와 죽은 자, 애도하

는 자가 서로의 숨을 나누어 마시는 흡연의 노동은 시의 기본 강령이자 규율이 된다.

애도하는 자의 고통을 나누어 지는 것이야말로 흡연의 본질이라 주장하는 김중일의 시는 시라는 흡연의 노동이 영원히 되풀이될 수 있도록, 까맣게 타들어 가는 부재들에 지쳐 함부로 눈 감아버리지 않도록 "작고 빨간" 흡연의 불꽃이 몸을 지닌 자의 시간을 견뎌내는 이 위태로운 순간들을 몸속 세포 하나하나에 선명히 각인해 넣으려 한다. 부재를 태우는 독한 연기를 몸 없는 폐로 깊이 들이마시며 부재를 견뎌내는 거대한 침묵 한가운데에 함께 서겠다 다짐한다. 이 파기될 수 없는 흡연의 맹약이, 내 몸 하나 아프다 해서 결코 미루거나 마음을 다하지 않을 수 없는 위중함이 김중일 시의 절박함과 견고한 뜨거움을 만들어낸다.

3

김중일의 시에서 흡연의 노동이 부재를 견디는 자들과 함께 호흡하고 그 고통스러운 숨의 무게를 조금이라도 같이 나누어 지겠다는 애달픈 다짐이자 결연한 선언이라고 한다면, 그럼에도 그 부재의 상처에 온전히 응답할 수 없다는 뼈아픈 자각과 그에 따른 부채감은 애도하는 자의 상처를 말없이 닦고 꼼꼼히 씻어주려는 담담한 살핌의 노동으로 이어진다. 부재에 삼켜진 자의 우두커니 멈춰 선 얼굴 앞에서 어떤 것도 함부로 기대하거나 요구하지 않은 채 그저 "쌀알처럼 떨어진 네 눈물을 아무 말 없이 하나하나 집"(「눈물의 형태」)어 자신의 입속에 밀어 넣는 마음의 노동은 김중일이 스스로의 문장에 부여한 시의 맹목이자 천성이라 할 수 있다. 부재의 바다 깊은 곳에 가라앉은 어둠을 조심스레 발라먹으며 점차 부패해가는 기억의 부유물들을 그 상처의 허기와 함께 찬찬히 씹어 삼키는 그의 문장들은 다른 생명의 몸뚱어리에 붙어 그가 토해낸 오물과 상처의 진물들을 조심스레 골라 먹어 치우는 청소부

물고기의 캄캄한 눈동자를 닮았다. 김중일에게 있어 시는 본래 그런 것이고 그래야만 하는 것인데, 살림의 노동으로서의 시 쓰기에 대한 시인의 자의식은 다음과 같은 시 속에서 아주 명시적으로 표현된다.

> 열심히 노동하여 집을 지으면 폭풍이 와도 튼튼한 집이 남지만
> 열심히 밤새 지은 '시'라는 채널의 관건은
> 지극히 개인적으로, 얼마나 큰 슬픔을 나누고 허무는가에 달렸다.
> 아침 해와 함께 흔적 없이 증발하는
> 실체가 남지 않는 일을 직업이라고 할 수 있을까.
> 아무래도 '가장 큰 직업'은 직업이 아니라는 뜻이 분명하다.
>
> …(중략)…
>
> 이런 수십 개의 채널을 모아놓은 한 권의 시집은 말이야
> 다림질까지 한 듯 기막히게 반듯이 개어놓은 시인의 속옷 같단 말이야.
> 세상에 존재하는 표백제로는 아무리 빨아도 결코 다 빠지지 않는 슬픔의 때가 미량이나마 껴 있어서, 결국 죽을 때까지 제대로 입어보지도 못하고 계속 다시 빨아야 하는.
> 빨다가 갑자기 눈물이 툭 터질 정도로 허무하기가 그 어떤 시적 수사로도 비유할 수 없는.
>
> ―「가장 큰 직업으로서의 시인 ― 아무도 접속하지 않은 채널의 접속을 기다리며 하는 상념」 부분

"시인은 가장 큰 직업"이라는 시적 규정은 직업이 담보하는 안정된 미래나 축적될 수 있는 가치들의 체계와는 전혀 통용되지 않는다. "아무도 접속하지 않은 채널의 접속을 기다리며" 끊임없이 "슬픔을 나누고 허무는" 일을 반복해

야만 하는 시라는 노동은 "아침 해와 함께 흔적 없이 증발하는/ 실체가 남지 않는 일"에 해당되기 때문이다. 이미 굳은살이 두껍게 자라버린 언어들을 몇 번이고 다시 거두어들이며 말의 무수한 주름과 관절에 쌓인 "아무리 빨아도 결코 다 빠지지 않는 슬픔의 때"들과 씨름해야만 하는 시의 노동은 "빨다가 갑자기 눈물이 툭 터질 정도로 허무하기가" 이를 데 없을 때에만, 수억 번을 반복해도 그 먹먹한 울음들을 모두 씻어낸다는 것이 결코 불가능하며 그럼에도 이 노동을 결코 포기할 수 없다는 자각과 신념 속에서만 부패할 수 없는 의의와 가치를 가까스로 확보해낸다. 그러니 '흔적 없는 증발'은 시가 꿈꿀 수 있는 최선의 목표라고 할 수 있다. 문득 만져버린 먹먹한 울음들이 시의 노동 속에서만이라도 부드럽게 풀려나와 고된 몸의 시간으로부터 떠나주기를 기도할 수밖에 없는 시인은 차라리 그 숱한 밤을 지새운 노동의 흔적이 송두리째 사라지는 한이 있더라도 마주했던 슬픔들이 허물어지는 단 하나의 순간을 간절히 원할 수밖에 없기 때문이다.

물이 고이는 곳에 물때가 끼듯 매일 공기가 고이는
사실상 세상 모든 곳에는 때가 낀다, 녹이 슬거나 주름이 지거나
꽃이 피거나.

또 하나의 심각한 찌든 때는 빛 때문에 생긴다.
햇빛이 고이는 곳에는 무엇보다 시커먼 때가 낀다.
빛이 빠져나가면 미끌미끌한 어둠이 잔뜩 껴 있는 걸 알 수 있다.

땅거미와 나는 공생 관계다.
내 몸 곳곳에 낀 빛의 시커먼 때를, 땅거미가 한발 미리 내려와 매일 밤새 머리부터 발끝까지 깨끗이 청소해 준다.
그 청소가 한창일 때

나는 빛에 찌든 때가 앉서 완벽히 청소된 '유일한 곳'에 간다.
사랑하는 너와 함께 있던 그곳에 너는 이제 없는 것과 같다.

…(중략)…

요람에서 무덤까지 세월에 꼭 맞게 늘어났다가 줄어들었다가
한 움큼의 먼지가 되는 몸.
물이나 빛이나 공기가 평생 고인 몸.
'나'는 물과 빛과 공기가 고인 나에게 낀 때.
세상에 없는 색의 때.

내게 묻은 '나'라는 찌든 때를 한때나마 닦아준 사람을 사랑한다.
나를 무색하게 하는 일을 한 그 사람을.
어떤 바람도 없이
내 생일을 기억하는 너와 같은 사람을.

—「오늘은 없는 색」 전문

때때로 김중일의 시에서 살핌의 노동은 "땅거미"로 찾아오는 밤의 망각에 의해 대신 수행되기도 한다. 누군가 잠시 머물렀다 떠나간 곳, 따뜻한 빛이 단 한 번이라도 고였다 사라진 곳이면 어디든 예외 없이 "시커먼 때"가 "미끌미끌한 어둠"이 걷잡을 수 없는 속도로 자라난다. 화자는 밤의 공평한 어둠이 자신의 몸 곳곳에 낀 부재의 잔재들을 "깨끗이 청소해"줄 거라 믿으며 "빛에 찌든 때가 앉서 완벽히 청소된 '유일한 곳'", 즉 너와 머물렀던 사랑의 자리를 아무런 미련도 없이 방문할 수 있다 확신하지만, 너의 흔적을 온전히 지웠음을 힘주어 강조하고 싶어 하지만("한때 나는 '네'가 내 기억에 잔뜩 낀 닦이지 않는 때인 줄만 알았다."), 그럴수록 더 선명히 드러나는 것은 결코 지워질 수 없는 너

라는 부재의 깊이이다. 밤의 망각을 신뢰했던 화자가 오래된 부재의 때를 닦아내는 밤의 노동 속에서 결국 도달하게 되는 곳이 "내게 묻은 '나'라는 찌든 때를 한때나마 닦아준 사람"에 대한 사랑이며 부재로서 존재하는 살핌의 기억인 것은 바로 그 때문이라 할 수 있다.

이 '사랑' 덕분에, 부재의 형식으로라도 남아 살핌의 노동을 반복하려는 사랑의 기억 덕분에 부재에 사로잡힌 화자의 밤은 밤의 무게 속으로 추락하지 않은 채, 부재와 뒤섞여 흔들리는 미지의 떨림으로, "알 수 없는 색"으로 끓어오르는 오늘이라는 넘침으로 몇 번이고 다시 대이난다. 끝도 없이 밀어닥치는 "무수한 상실을 네 묶음의 '계절'로 나눠 이름 붙"(「너와 환절기와 나」)임으로써 발설되지 못한 상처가 품은 날카로운 눈빛을 조금씩 누그러뜨리고, 그 계절들이 거쳐 간 통증의 시간을 몸 없는 살갗의 노동으로 대신 살아내며 상실이라는 가장 오래된 필연과 함께 살아가는 법을 조금씩 배워간다. 아무런 죄도 없는 어리고 작은 손에 어느덧 "뿌리내리고 가지를 뻗으며 눈물처럼 자라기 시작"(내일 지구에 비가 오고 멸망하여도 한 그루의 — 딸과 함께)하는 부재의 중심을 말없이 끌어안으며 시인이라는 '가장 큰 직업'에 종사하는 것을 스스로의 필연으로 받아들인다. 김중일의 시가 펼쳐보인 이 중단될 수 없는 사랑의 노동 속에서 하나의 세상이 무너지고 다시 일어선다. 영원히 종결될 수 없는 애도의 섭생이 그렇게 꼭 맞아떨어지는 온전한 몸과 호흡을 얻는다.詩

이철주 | 문학평론가. 2018년 『서울신문』 신춘문예 당선.

가장 큰 직업으로서의 시인

2022 제23회 현대시작품상 작품집

초판 인쇄 · 2022년 7월 1일
초판 발행 · 2022년 7월 8일

지은이 · 김중일 외
펴낸이 · 이선희
펴낸곳 · 한국문연

서울시 서대문구 증가로 31길 39, 동화빌라 202호
출판등록 1988년 3월 3일 제3-188호
대표전화 302-2717 | 팩스 · 6442-6053
디지털 현대시 www.koreapoem.co.kr
이메일 koreapoem@hanmail.net

ISBN 978-89-6104-316-8 03810

값 12,000원

＊ 본 도서는 금보성아트센터로부터 제작 지원을 받았습니다.